精华版

HAOHAIZIZUIXIANGZHIDAODEYUYANGUSHI

好孩子最想知道的

寓言故事

编写　余绯 等

绘画　太阳娃工作室　铁牛工作室
　　　李广宇　唐筠　刘玉海　张德瀛

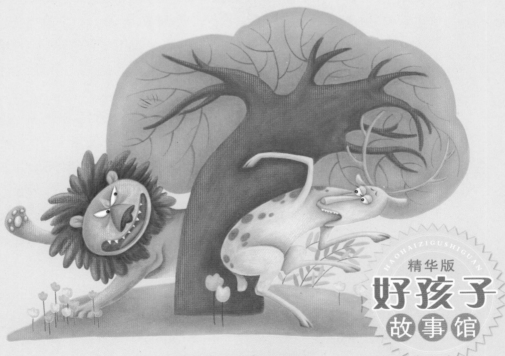

精华版

好孩子
故事馆

HAOHAIZIGUSHIGUAN

全国优秀出版社
浙江少年儿童出版社

品味寓言,
感悟生活

    寓言是古今中外劳动人民生活经验的总结,是人类宝贵的文化遗产。它通过假设的故事或自然物的拟人手法,说明某个道理或教训,闪烁着人类智慧的光芒。古今著名寓言作家,用十分简练的笔法,寥寥数笔就将历史典故、生活实践和人生哲理等概括出来,既形象生动,又言简意赅。这些短小精悍的寓言,字字珠玑,引人入胜,常常令人掩卷而思,回味无穷,从中感悟到深刻而普遍的道理,学习到许多对我们一生都十分有益的东西。

    本书精选了一百多个深受孩子们喜爱的寓言故事,根据内容分为九大类。在编写过程中,我们力求保留寓言的哲理性,显现它所蕴含的深刻内涵,同时力求文字简明易懂,增加故事的可读性。在选择的寓言故事中,多以动物形象或接近孩子生活经验的事件为主,让孩子们喜闻乐见,并在潜移默化中得到智慧的启迪,懂得做人的道理。比如

《老鼠开会》《狐狸和山羊》《猴子捞月亮》等，其中的动物形象都是孩子们所熟悉的，故事性又较强，易为他们所接受。

本书每个故事均配有精彩的点评，以给孩子一点儿启示和感受。全书文字加注了汉语拼音，可方便孩子阅读；同时配有精美插图，令人赏心悦目、爱不释手。

这些寓言故事，将对孩子们的学习、生活、交友、处事等各个方面产生意想不到的作用，有助于他们对人生哲理的理解和感悟。

把它送给孩子们吧！愿孩子们在触动心灵的寓言故事熏陶下，度过一个充实而幸福的童年！

目录
MULU

使你笑口常开的寓言

使你知足常乐的寓言

māo hé jī
猫和鸡

农场边上住着一只猫，它经常偷偷地跑去偷吃农场里的鸡。

有一天，猫听说有一只鸡生病了，就穿上白大褂，提着医药箱，把自己装扮成医生的模样，前去看望。一路上，猫琢磨着见到鸡应该说些什么，怎样才能进鸡的家门。

猫来到鸡舍前，看到鸡把门关得紧紧的，就假

惺惺地叫道："你好，亲爱的朋友，我是最关心你的猫医生。我的医术很高明，这次听说你病了，我特意从很远的地方赶来给你看病，请你开一下门吧。"

鸡躺在床上，一听到猫的声音，立刻提高了警惕："哦，我现在很好，并没有什么不舒服，也不需要看病，你还是快走吧。"

猫接着说："我从你说话的声音里，就知道你病得不轻啊。看在我那么老远赶来的分上，你还是快开门吧。"

"我不会开门的，你走吧。"鸡的回答十分坚决。

"可是这样下去，你的病是不会好的。"猫尽可能把话说得诚恳些。

鸡始终不敢相信猫的鬼话，说："请你快离开吧，我永远也不会相信你说的话。"

猫表现出很委屈的样子说："我从来没做过

shén me duì bu qǐ nǐ de shì qing　wèi shén me nǐ jiù nà me bù xìn rèn wǒ
什么对不起你的事情，为什么你就那么不信任我，
bù lǐ jiě wǒ de yī piàn hǎo xīn ne
不理解我的一片好心呢？"

jī shuō　　shéi zuò guo
鸡说："谁做过
huài shì　　shì mán bù guò bié
坏事，是瞒不过别
rén de　　wǒ jīng cháng kàn dào
人的。我经常看到
nǐ jiā de hòu yuàn li yǒu jī
你家的后院里有鸡
máo　　tóng shí wǒ de huǒ bàn
毛，同时我的伙伴
men yī gè gè mò míng qí miào
们一个个莫名其妙
de xiāo shī le　　wǒ jiù zhī
地消失了，我就知
dào yī dìng shì nǐ gàn de
道一定是你干的。

hǎo le　　nǐ rú guǒ hái bù zhǔn bèi zǒu　　wǒ jiù yào jiào gǒu lái le
好了，你如果还不准备走，我就要叫狗来了。"

yī tīng dào yào jiào gǒu lái　　māo zhǐ hǎo huī liū liū de zǒu le
一听到要叫狗来，猫只好灰溜溜地走了。
jī kàn dào māo zǒu yuǎn de bèi yǐng　　jué de shēn tǐ zhēn de hǎo duō le
鸡看到猫走远的背影，觉得身体真的好多了。

寓言一点通

　　这个寓言告诉我们：一个心怀恶意的人，就是伪装得再好，也一定会暴露马脚的，因此永远不会有人信任他。就像故事中的猫，说再多的花言巧语，也得不到鸡的信任。

狗、公鸡和狐狸

狗和公鸡是好朋友，有一天，它们一起出门去，到了晚上公鸡睡在大树上，狗就睡在大树下的树洞里。

第二天一大早，公鸡在树上"喔喔喔"地打鸣，却引来了狐狸。狐狸来到树下，假装友好地对公鸡说："哦，朋友，你的嗓音真好听，我是顺着你的歌声跑来的。"狐狸一边说，一边不停地流口水。

公鸡一看到狐狸这副样子，心里就明白了，说："是吗？不过，今天我已经唱完了，要听，你明天再来吧。"

狐狸又继续它的鬼话："其实，我也是很喜欢唱歌的。如果你愿意就

qǐng xià lái ràng wǒ men yī qǐ chàng yī shǒu sēn lín yuán wǔ qǔ xiāng xìn sēn
请下来，让我们一起唱一首森林圆舞曲，相信森

lín li de měi yī gè dòng wù dōu huì bèi wǒ men de gē shēng suǒ táo zuì de
林里的每一个动物都会被我们的歌声所陶醉的。"

gōng jī duì zhe hú li shuō yào shuō yī
公鸡对着狐狸说："要说一

qǐ chàng gē wǒ hái yǒu yī gè péng you yě xiǎng
起唱歌，我还有一个朋友也想

cān jiā tā de yīn sè gèng bù cuò qǐng nǐ bǎ
参加，它的音色更不错，请你把

tā yě jiào xǐng ba tā jiù shuì zài dà shù xià de
它也叫醒吧，它就睡在大树下的

shù dòng li
树洞里。"

tīng le gōng jī de huà hú li gāo xìng jí
听了公鸡的话，狐狸高兴极

le tā cāi xiǎng nà lǐ yī dìng zhù zhe yī zhī
了。它猜想，那里一定住着一只

féi féi de mǔ jī yú shì jiù shēn shǒu qù qiāo dǎ shù dòng ràng hú li wàn
肥肥的母鸡，于是就伸手去敲打树洞。让狐狸万

wàn méi xiǎng dào de shì cóng shù dòng li tiào chū lái de bù shì mǔ jī què shì
万没想到的是，从树洞里跳出来的不是母鸡，却是

yī zhī è hěn hěn de gǒu bìng duì zhǔn tā de bó zi hěn hěn yǎo le yī kǒu
一只恶狠狠的狗，并对准它的脖子狠狠咬了一口。

kě lián de hú li bù dàn méi néng chī dào gōng jī fǎn ér bèi gǒu gěi yǎo
可怜的狐狸不但没能吃到公鸡，反而被狗给咬

le yī kǒu tòng de wā wā dà jiào zhǐ dé gǎn jǐn táo zǒu le
了一口，痛得哇哇大叫，只得赶紧逃走了。

寓言一点通

这个寓言告诉我们：一个虚伪的人所说的话即使再美丽动听，也是很容易被识破的。故事中的狐狸就是这样。

hú li hé mù yáng quǎn
狐狸和牧羊犬

hú li kàn dào jǐ zhī xiǎo yáng zhèng wéi zài mā ma de shēn biān wán shuǎ
狐狸看到几只小羊正围在妈妈的身边玩耍，

ér yáng mā ma zhèng hé zhe yǎn jing dǎ kē shuì jiù duì jǐ zhī xiǎo yáng dǎ qǐ
而羊妈妈正合着眼睛打瞌睡，就对几只小羊打起

le huài zhǔ yi
了坏主意。

zhǐ jiàn tā niè shǒu niè jiǎo de zǒu guò qù chèn yáng mā ma bù zhù yì
只见它蹑手蹑脚地走过去，趁羊妈妈不注意，

qīng qīng de bào qǐ yī zhī zuì féi de xiǎo yáng wǎng lín zi li zǒu qù
轻轻地抱起一只最肥的小羊，往林子里走去。

hú li bǎ xiǎo yáng jǐn jǐn de bào zài huái li zuò chū ài fǔ de yàng
狐狸把小羊紧紧地抱在怀里，做出爱抚的样

zi tiān zhēn de xiǎo yáng biàn tīng huà de tǎng zài hú li de huái li
子，天真的小羊便听话地躺在狐狸的怀里。

zhè shí mù yáng quǎn tū rán chōng dào hú li miàn qián
这时，牧羊犬突然冲到狐狸面前

shuō nǐ gěi wǒ zhàn zhù
说："你给我站住！"

hú li xià le yī dà tiào
狐狸吓了一大跳，

dàn tā mǎ shàng zhèn jìng xià lái
但它马上镇静下来，

xiào xī xī de shuō dào nǐ zhè
笑嘻嘻地说道："你这

shì gàn shén me ya dōu kuài xià
是干什么呀，都快吓

dào xiǎo yáng le hú li yī biān
到小羊了。"狐狸一边

说，一边轻轻地拍着小羊，显出一副关心的样子。

牧羊犬不客气地说："你想把小羊带到什么地方去？你想把它怎么样？"

狐狸假惺惺地回答："我只是想和小羊出去玩一玩。我太喜欢它了。"

牧羊犬知道狐狸打的鬼主意，就没好气地说："快把小羊放下。要不然我也会像你爱小羊一样，把你抱在我的怀里。"牧羊犬边说边逼近狐狸。

一听这话，狐狸吓坏了，赶紧乖乖地把小羊还给牧羊犬，然后灰溜溜地逃走了。

寓言一点通

虚假的表现总掩盖不了那些真实而又不可告人的目的，假象终归会被识破。就像故事中狡猾的狐狸，它的诡计最终还是被牧羊犬识破了。

zhī liǎo hé hú li
知了和狐狸

xià tiān zhī liǎo zǒng xǐ huan zài shù shang chàng gè bù tíng
夏天，知了总喜欢在树上唱个不停。

yǒu yī tiān yī zhǐ è zhe dù zi de hú li cóng shù xià jīng guò tā
有一天，一只饿着肚子的狐狸从树下经过，它

hěn xiǎng chī shù shang de zhī liǎo kě shì hú li bù huì pá shù zěn me cái
很想吃树上的知了。可是狐狸不会爬树，怎么才

néng chī dào zhī liǎo ne
能吃到知了呢？

hú li zài shù xià zhuàn le yī quān yòu yī quān zhōng yú xiǎng chū yī
狐狸在树下转了一圈又一圈，终于想出一

gè zhǔ yi rán hòu tā zhàn zài shù xià yòng néng shuō huì dào de zuǐ ba zàn měi
个主意，然后它站在树下，用能说会道的嘴巴赞美

qǐ shù shang de zhī liǎo lái à
起树上的知了来："啊，

shù shang de péng you nín hǎo nín
树上的朋友，您好！您

de gē shēng shì wǒ yī shēng zhōng
的歌声是我一生中

tīng dào guo de zuì měi miào de gē
听到过的最美妙的歌

shēng wǒ zhēn de hěn xiǎng rèn shi
声。我真的很想认识

nín wǒ xiǎng nín yě yī dìng zhǎng
您，我想您也一定长

de tè bié měi lì ba
得特别美丽吧。"

zhī liǎo tíng zhǐ le gē chàng
知了停止了歌唱，

对着树下的狐狸说道:"其实我长得很平常,没有你想象中那么美丽。"

狐狸装出一副不相信的样子,说:"怎么可能呢!您能唱出如此美妙的歌声,一定也长得很美丽。我真的很想见识一下您的美貌。"

知了笑着说:"既然你那么想见我,我就飞下来吧。"说着,扇动着翅膀要从树上飞下来。

狐狸赶忙张开大嘴,迎接知了。

这时,一个东西落到狐狸的嘴里。狐狸赶紧合上嘴,它以为那是知了,原来只是一片树叶。

知了在树上哈哈大笑:"狐狸先生,我就知道你不安好心。我丢了一片树叶,就看出你的心思了。"

狐狸吐出嘴里的

树叶，花言巧语地解释道："我是害怕您飞下来会不小心摔着，就用舌头接着，那样不会痛啊。"

知了笑了："其实我早就知道你是个什么样的东西了。因为有一天，我发现你的粪便里有我朋友的翅膀，就什么都知道了。"

狐狸自以为做事小心仔细，没想到还是让知了发现了实情。它知道想吃知了不是件容易的事情，只好灰溜溜地走了。

寓言一点通

这个寓言告诉我们：一个常做坏事的人，无论怎么伪装，总会留下蛛丝马迹，最终被人识破。故事中的知了就是识破了狐狸的真面目，才没有上它的当。

fàng yáng de hái zi
放羊的孩子

yǒu gè fàng yáng de hái zi　gǎn zhe yáng qún dào shān shang chī cǎo　tā
有个放羊的孩子，赶着羊群到山上吃草。他

jué de wú shì kě zuò　jiù duì zhe shān xià dà shēng de hǎn jiào qǐ lái　bù
觉得无事可做，就对着山下大声地喊叫起来："不

hǎo la　láng lái la　dà jiā kuài lái dǎ láng a
好啦，狼来啦，大家快来打狼啊。"

tīng dào hái zi jí qiè de hū jiù shēng　shān xià de nóng mín lián máng dài
听到孩子急切的呼救声，山下的农民连忙带

zhe chú tou　jí jí máng máng de pǎo shàng shān　kě shì tā men kàn dào yáng hǎo
着锄头，急急忙忙地跑上山。可是他们看到羊好

hǎo de zài chī cǎo　gēn běn méi yǒu láng de yǐng zi　jiù wèn fàng yáng de hái
好地在吃草，根本没有狼的影子，就问放羊的孩

zi　láng zài nǎr ne　fàng yáng de hái zi kàn zhe tā men jǐn zhāng de
子："狼在哪儿呢？"放羊的孩子看着他们紧张的

yàng zi　hā hā dà xiào qǐ lái　à　gēn běn méi yǒu láng　wǒ shì zài hé
样子，哈哈大笑起来："啊，根本没有狼，我是在和

nǐ men kāi wán xiào ne
你们开玩笑呢。"

nóng mín tīng le　yǒu xiē shēng
农民听了有些生

qì　shuō　nǐ zhè hái zi　xià cì
气，说："你这孩子，下次

qiān wàn bù néng zài shuō huǎng le
千万不能再说谎了。"

shuō wán qì hū hū de xià shān qù le
说完气呼呼地下山去了。

méi guò yī huìr　fàng yáng de
没过一会儿，放羊的

孩子又觉得很无聊，就再次对着山下大喊起来："狼来了，狼来了，大家快来打狼啊！"他想试试山下的农民还会不会上当，结果好心的农民还是上当了。这次农民生气地说，再也不会相信他的话了。

过了一会儿，山上真的来了几只狼。狼向羊群冲过来，放羊的孩子慌了，他一边跑一边拼命地喊："狼来了，狼来了，大家快来打狼啊！"山下的农民虽然清楚地听到孩子的叫声，但是他们谁也没来救他。最后他的羊全让狼给吃了。放羊的孩子哭了。

寓言一点通

这个寓言告诉我们：说谎的人只能蒙人一时，最终会失去别人的信任，甚至连说真话也不会有人相信，最后吃亏的还是自己。千万别像故事中的孩子那样，把说谎当成一种好玩的游戏。

chuī niú de gōng jī
吹牛的公鸡

一只鹰总在村子上空盘旋，想找机会飞下来抓小鸡。这时一位猎人发现了它，一枪打过去，将它打落到地上。

一只公鸡经过矮树林，突然看到地上的鹰，先是吓了一大跳，再仔细看，却发现那个可怕的家伙竟然倒在地上一动也不动，尖利的嘴也无力地张开着，两眼失去了往日的精神。公鸡忽然明白了，原来鹰已经死了。公鸡一下子神气起来，只见它走到鹰的身边，用脚踢踢，又用

嘴啄啄，还从鹰的身上啄下一根羽毛，然后伸长脖子大叫起来："喂，鸟儿们，快来看看吧，快来呀！"

公鸡的叫声引来了许多鸟儿，它们不知道发生了什么事。

公鸡指着地上的鹰，神气地对鸟儿们说："你们看，我把这只可恶的鹰给啄死了。现在你们用不着害怕了。"

鸟儿们对公鸡说的话半信半疑："真的吗？你怎么能把这么厉害的鹰啄死呢？"

公鸡神气地说："怎么，你们不信？看，我的嘴，多么尖利。我就是用尖利的嘴啄死鹰的，现在上面还留着鹰的羽毛呢。"

鸟儿们信以为真，都欢呼起来："好样的，大公鸡，你真了不起！"

tīng dào niǎor men de kuā jiǎng gōng jī gèng shén
听到鸟儿们的夸奖,公鸡更神

qì gèng wēi fēng le tā yǐ shèng lì zhě de zī tài xiàng
气、更威风了,它以胜利者的姿态向

dà jiā zhì yì
大家致意。

piān qiǎo yī zhī
偏巧一只

māo lù guò zhè lǐ
猫路过这里,

tā bǎ yīng fān le gè
它把鹰翻了个

shēn zhè shí cóng yīng
身。这时,从鹰

de shēn shang diào chū
的身上掉出

yī lì zǐ dàn zhè
一粒子弹。"这

shì shén me ya niǎor men gǎn dào hěn qí guài
是什么呀?"鸟儿们感到很奇怪。

zhè fēn míng shì kē zǐ dàn ma yuán lái yīng shì bèi liè qiāng dǎ zhòng
"这分明是颗子弹嘛。原来鹰是被猎枪打中

de māo de huà ràng dà jiā míng bai le shì qing de zhēn xiàng chuī niú de
的。"猫的话让大家明白了事情的真相,吹牛的

gōng jī zhǐ hǎo huī liū liū de táo zǒu le
公鸡只好灰溜溜地逃走了。

寓言一点通

　　这个寓言告诉我们:一个没有真本事的人,如果喜欢以吹牛的方式来表现自己,最终会被真相击倒,让自己更难堪。

金斧子、银斧子和旧斧子

jīn fǔ zi　yín fǔ zi　hé jiù fǔ zi

有个年轻人在河边砍柴，一不小心把斧子掉进河里去了。没有斧子怎么砍柴啊，年轻人只好坐在河边哭了起来。

他的哭声被一个老神仙听到了，老神仙慈爱地对他说："孩子，你为什么哭哇？有什么困难吗？让我来帮你。"

"我的斧子掉进深深的河水里了。没有了斧子，我就不能砍柴了。"年轻人哭着说。

"别着急，我可以帮你。"老神仙说着，走进河

lǐ bù yī huìr tā jiù cóng shuǐ lǐ lāo qǐ yī bǎ jīn fǔ zi rán hòu wèn
里。不一会儿他就从水里捞起一把金斧子,然后问

nián qīng rén zhè shì nǐ de fǔ zi ma
年轻人:"这是你的斧子吗?"

nián qīng rén yáo yáo tóu shuō zhè bǎ fǔ zi bù shì wǒ de
年轻人摇摇头说:"这把斧子不是我的。"

lǎo shén xiān yòu cóng shuǐ lǐ lāo qǐ yī bǎ yín fǔ zi wèn tā nián qīng
老神仙又从水里捞起一把银斧子问他,年轻

rén hái shi shuō bù shì tā de zhí dào lǎo shén xiān lāo qǐ nà bǎ jiù fǔ zi
人还是说不是他的。直到老神仙捞起那把旧斧子,

nián qīng rén cái gāo xìng de shōu le xià lái
年轻人才高兴地收了下来。

lǎo shén xiān kuā tā shì gè chéng shí de hái zi jiù bǎ jīn fǔ zi yín
老神仙夸他是个诚实的孩子,就把金斧子、银

fǔ zi quán sòng gěi le tā
斧子全送给了他。

nián qīng rén de lín jū tīng shuō le fēi cháng xiàn mù yě lái dào hé
年轻人的邻居听说了,非常羡慕,也来到河

biān zhuāng zuò kǎn chái de yàng zi bìng gù yì diū le yī bǎ jiù fǔ zi dào hé
边装作砍柴的样子,并故意丢了一把旧斧子到河

lǐ rán hòu zuò zài hé biān jiǎ zhuāng shāng
里,然后坐在河边假装伤

xīn de kū qǐ lái tā yī biān kū yī
心地哭起来。他一边哭,一

biān dōng zhāng xī wàng de děng
边东张西望地等

dài zhe lǎo shén xiān de chū xiàn
待着老神仙的出现。

guò le yī huìr lǎo
过了一会儿,老

shén xiān zhēn de lái le lín jū
神仙真的来了。邻居

lián máng shuō lǎo shén xiān
连忙说:"老神仙

na kuài bāng bāng wǒ ba wǒ
哪,快帮帮我吧,我

de fǔ zi diào dào hé li
的斧子掉到河里

qù le kuài bāng wǒ lāo
去了，快帮我捞

shàng lái ba
上来吧。"

dāng lǎo shén xiān cóng
当老神仙从

hé li lāo qǐ yī bǎ jīn fǔ
河里捞起一把金斧

zi shí lín jū lián máng pǎo
子时，邻居连忙跑

shàng qián cóng lǎo shén xiān
上前，从老神仙

shǒu li yī bǎ qiǎng guò jīn
手里一把抢过金

fǔ zi jī dòng de shuō
斧子，激动地说：

à zhè jiù shì wǒ yào de jīn fǔ zi tài hǎo le tài hǎo le
"啊，这就是我要的金斧子，太好了，太好了！"

lǎo shén xiān jiàn tā zhè ge yàng zi fēi cháng shēng qì jiù zhuǎn shēn
老神仙见他这个样子，非常生气，就转身

zǒu le lín jū zài zǐ xì kàn kàn zì jǐ shǒu li ná zhe de fǔ zi zhè nǎ
走了。邻居再仔细看看自己手里拿着的斧子：这哪

shì shén me jīn fǔ zi a míng míng jiù shì yuán lái de jiù fǔ zi
是什么金斧子啊，明明就是原来的旧斧子！

寓言一点通

　　这个寓言告诉我们：诚实是美德，所以受人赏识；贪得无厌是一种坏念头，最终一定会被人看穿，也不会有好的结果。我们都应该做一个诚实的人。

zēng zǐ shā zhū
曾子杀猪

一天，曾子的妻子要上街去，孩子缠着也要去，妻子就哄孩子说："乖孩子，你留在家里，等妈妈从街上回来杀猪给你吃。"孩子一听有猪肉吃，就高兴地留了下来。

一会儿，妻子从街上回来，看见曾子正在磨刀，奇怪地问道："你磨刀干什么呀？"曾子回答："准备杀猪哇。"

妻子不解地问："那猪养了还没几个月大，等到过年再杀不是正好吗？现在杀它干什么呀？"

曾子说："本来我也没准备杀猪，可是刚才你自己对孩子说要杀猪的，那就不能

shuō huà bù suàn shù
说话不算数。"

qī zi xiào le　　　nà shì
妻子笑了："那是

wǒ gāng cái hǒng hái zi de wán xiào
我 刚才 哄 孩子的 玩笑

huà　 nǐ yě dàng zhēn na
话，你也当真哪！"

zēng zǐ yán sù de shuō
曾子严肃地说：

zěn me kě yǐ zhè yàng hé hái zi
"怎么可以这样和孩子

kāi wán xiào ne　　rú guǒ wǒ men dà
开玩笑呢？如果我们大

ren zì jǐ shuō huà dōu bù suàn shù　　nà ràng hái zi zěn me xiāng xìn wǒ men
人自己说话都不算数，那让孩子怎么相信我们

ne　 yào hái zi zuò chéng shí shǒu xìn de rén　　wǒ men dāng zhǎng bèi de kě yào
呢？要孩子做诚实守信的人，我们当长辈的可要

shēn tǐ lì xíng a
身体力行啊。"

tīng le zēng zǐ de huà　　qī zi yě jué de hěn yǒu dào lǐ　　shuō　 wǒ
听了曾子的话，妻子也觉得很有道理，说："我

yǐ hòu zài yě bù huì suí biàn hé hái zi kāi zhè yàng de wán xiào le　　zuò bù dào
以后再也不会随便和孩子开这样的玩笑了。做不到

de shì　 wǒ jiù bù shuō　　zuì hòu　 qī zi tóng yì zēng zǐ bǎ zhū shā le gěi
的事，我就不说。"最后，妻子同意曾子把猪杀了给

hái zi chī
孩子吃。

寓言一点通

　　这个寓言告诉我们：诚实守信是为人的基本准则。要想孩子做到这一点，父母自己首先要做好，因为父母的一言一行都是孩子的榜样。曾子杀猪教子，说明的就是这个道理。

冒雨赴约
mào yǔ fù yuē

一天，魏文侯与臣子们在宫里饮酒作诗，十分高兴。突然，他想起一件事情，就放下酒杯，传令立即备马进山打猎。

臣子们不解地问道："大王，这会儿外面大雨倾盆，您为什么偏要停了酒宴冒雨打猎呢？"

魏文侯解释道："其实，我也很想和大家一起继续饮酒作诗。但是我想起日前跟管山林的官员约好，今天一起进山打猎，我可不能随便失约啊。"

臣子们纷纷劝说道："可是今天天气很不好，您还是改天再去吧，人家一定会理解您的。"

但是无论这些官员怎么劝说，魏文侯还是坚持自己的想法："我怎么能因为饮酒和天气就随便失信于人呢？如果今天我为一件小事而失信于人，今后就会失信于天下，再也不会有人相信我了。"

大臣们听了魏文侯的话，觉得非常有道理，也就不再拦阻。魏文侯立即带领几个随从，策马向山林奔去。

魏文侯因为坚守信用，得到了大家的拥戴。

寓言一点通

　　这个寓言告诉我们：言而有信是一种传统美德。魏文侯在与下属官员的交往中能说到做到，难能可贵。一个人只有守信，才能得到更多的尊重与信任。

xué niǎo hé gē zi
穴鸟和鸽子

穴鸟们总是群居生活，并常常一起飞出去找食。这样虽然比较辛苦，但基本能填饱肚子。

一天，一只穴鸟飞过养鸽场，看到那里的食物多得吃不完，就想离开原来的群体，到鸽群里去生活，以为这样就可以毫不费力地得到食物。

可是养鸽场里的鸽子，羽毛都是白色的，穴鸟却是一身黑羽毛。怎么办呢？穴鸟想了很久，终于

有了办法：它用白漆把自己身上的羽毛全刷成白色。它因此轻而易举地混进了鸽群，再也不用辛苦找食了。

只是穴鸟在鸽

群里不敢说话，更不敢唱歌，因为穴鸟和鸽子的声音不一样。如果它不小心发出声音来，就会被发现的。

穴鸟就这样小心翼翼地生活在鸽群里，除了能吃饱外，它没有朋友，不能说话，不能唱歌。这对穴鸟来说，是件十分痛苦的事情。

一天，一只鸽子不小心啄到穴鸟的脚，穴鸟痛得大叫一声："哎呀，好痛啊！"

它的话音刚落，鸽子们纷纷围了过来："你是哪里来的坏东西？把它赶走，快把它赶走！"鸽子们发现穴鸟的秘密后，纷纷向它发起进攻。

穴鸟没办法，只好赶紧飞走了。它孤零零地飞着，肚子很饿，可它找不到吃的。于是它开始怀念以

^{qián de shēng huó} ^{yǒu xǔ duō huǒ bàn} ^{dà jiā yī qǐ xiǎng bàn fǎ zhǎo shí chī}
前的生活：有许多伙伴，大家一起想办法找食吃，

^{duō me kuài lè ya} ^{xiàn zài tā xiǎng huí dào xué niǎo zhōng jiān} ^{kě shì xué niǎo}
多么快乐呀。现在它想回到穴鸟中间，可是穴鸟

^{men shéi yě bù lǐ tā} ^{nǐ zǒu ba} ^{nǐ bù zài shì yī zhī xué niǎo}
们谁也不理它："你走吧，你不再是一只穴鸟。"

^{zhè zhī xué niǎo nǎr} ^{yě bù néng qù le} ^{zhǐ hǎo gū líng líng de fēi}
这只穴鸟哪儿也不能去了，只好孤零零地飞

^{zhe} ^{fēi zhe}
着，飞着。

寓言一点通

这个寓言告诉我们：一个为了自己的利益而背叛集体的人，最终会失去真正的朋友，落得众叛亲离的可悲下场。故事中的穴鸟就是如此。

投机的蝙蝠

森林里的走兽和飞禽之间有了矛盾，最终爆发了一场战争。可是狡猾的蝙蝠没有参加这次战争，而是偷偷地躲在一边观战，心想：如果谁打了胜仗，我就站在谁的一边，一定能分享到战果。

一开始，走兽占上风，蝙蝠便悄悄地跑到走兽一边。走兽们奇怪地问："你和我们是一起的吗？刚才好像没看到你。"蝙蝠说："我当然是你们中的一员。瞧，我跟你们一样，嘴里长着牙齿，还有爪子呢。"走兽们对这个忽然加入自己队伍的一员并没有太多的关注。

接下去的战况发

shēng le biàn huà　màn màn de　fēi qín shèng
生了变化，慢慢地飞禽胜

guo le zǒu shòu　zhè shí　biān fú yòu qiāo
过了走兽。这时，蝙蝠又悄

qiāo de lái dào fēi qín yī biān　bìng bù zhī
悄地来到飞禽一边，并不知

xiū chǐ de shuō dào　　qiáo　wǒ gēn nǐ
羞耻地说道："瞧，我跟你

men yī yàng dōu yǒu chì bǎng　dōu néng zhǎn chì fēi
们一样都有翅膀，都能展翅飞

xiáng　wǒ shì míng fù qí shí de fēi qín　tā de huà
翔，我是名副其实的飞禽。"它的话

hái méi shuō wán　yī zhī niǎo jiān shēng jiào dào　tā bù shì fēi qín　wǒ gāng
还没说完，一只鸟尖声叫道："它不是飞禽！我刚

cái míng míng kàn dào tā zài zǒu shòu de duì wu li　xiàn zài què pǎo dào wǒ men
才明明看到它在走兽的队伍里，现在却跑到我们

zhè lǐ lái le　kuài bǎ tā gǎn zǒu　yú shì fēi qín bǎ biān fú gǎn pǎo le
这里来了。快把它赶走！"于是飞禽把蝙蝠赶跑了。

zǒu tóu wú lù de biān fú yòu xiǎng huí dào zǒu shòu de duì wu zhōng　kě
走投无路的蝙蝠又想回到走兽的队伍中，可

shì zǒu shòu yě bù zài huān yíng tā le
是走兽也不再欢迎它了。

zuì hòu　dāng zǒu shòu hé fēi qín hé hǎo hòu　tā men hái shi bù néng jiē
最后，当走兽和飞禽和好后，它们还是不能接

nà biān fú　jiǎo tà liǎng zhī chuán de biān fú jué de wú dì zì róng　zhǐ hǎo
纳蝙蝠。脚踏两只船的蝙蝠觉得无地自容，只好

zhěng tiān duǒ zài hēi àn de dì fang　dào yè wǎn cái gǎn chū lái
整天躲在黑暗的地方，到夜晚才敢出来。

寓言一点通

这个寓言告诉我们：投机者往往没有自己的立场，甚至没有自己的人格。他们为了利益可以改变自己的立场，甚至丧失自己的人格。但他们最终得到的，只能是大家的鄙夷。

lú hé yán
驴和盐

yǒu gè xiǎo fàn　ràng tā de lǘ tuó zhe liǎng dài yán huí jiā qù　yán hěn
有个小贩，让他的驴驮着两袋盐回家去。盐很
zhòng　lǘ lèi de yǒu xiē shòu bù liǎo
重，驴累得有些受不了。

xiǎo fàn qiān zhe lǘ lái dào hé biān hē shuǐ shí　lǘ bù xiǎo xīn huá le yī
小贩牵着驴来到河边喝水时，驴不小心滑了一
jiāo　luò dào shuǐ li　lǘ zài shuǐ li bù duàn de zhēng zhá　zhè shí dài zi li
跤，落到水里。驴在水里不断地挣扎，这时袋子里
de yán kāi shǐ màn màn de róng jiě dào shuǐ li　lǘ huí dào àn shang shí　fā xiàn
的盐开始慢慢地溶解到水里。驴回到岸上时，发现
tuó zhe de yán dài yī xià zi qīng le xǔ duō　tā gāo xìng jí le　qīng qīng sōng
驮着的盐袋一下子轻了许多，它高兴极了，轻轻松
sōng de jiù jiāng yán tuó huí le jiā
松地就将盐驮回了家。

cǐ hòu xiǎo fàn
此后小贩
zài ràng lǘ tuó yán huí
再让驴驮盐回
jiā shí　lǘ zǒng huì
家时，驴总会
zhǎo jī huì diào jìn shuǐ
找机会掉进水
li　ràng dài zi li de
里，让袋子里的
yán huà diào yī xiē　biàn
盐化掉一些，变
qīng le zài huí jiā　yī
轻了再回家。一

kāi shǐ   xiǎo fàn yǐ wéi lǘ shì bù xiǎo xīn huá jìn shuǐ li de   bìng méi yǒu guò
开始，小贩以为驴是不小心滑进水里的，并没有过

duō zé guài   màn màn de   tā yì shí dào shì lǘ zài shǐ huài zhǔ yi tōu lǎn
多责怪。慢慢地，他意识到是驴在使坏主意偷懒，

jiù xiǎng chū yī gè bàn fǎ   zhǔn bèi hǎo hǎo jiào xùn yī xià zhè ge ài tōu lǎn
就想出一个办法，准备好好教训一下这个爱偷懒

de jiā huo
的家伙。

guò le xiē rì zi   xiǎo fàn ràng lǘ tuó shàng mǎn mǎn de liǎng dài mián
过了些日子，小贩让驴驮上满满的两袋棉

huā   mián huā bìng bù tài zhòng   dāng tā men zài cì lái dào xiǎo hé biān shí   guǐ
花，棉花并不太重。当他们再次来到小河边时，诡

jì duō duān de lǘ yòu yī cì shú liàn de diào jìn shuǐ li
计多端的驴又一次熟练地掉进水里。

kě zhè cì zhēn shì tài qí guài le   lǘ gǎn dào zì jǐ shēn shang de dōng
可这次真是太奇怪了：驴感到自己身上的东

xi bù dàn méi yǒu biàn qīng   fǎn ér biàn de yuè lái yuè zhòng   zhòng de tā gēn
西不但没有变轻，反而变得越来越重，重得它根

běn zhàn bù qǐ lái   yuán lái   luò dào shuǐ li de mián huā yī xià zi xī mǎn le
本站不起来。原来，落到水里的棉花一下子吸满了

shuǐ   bǐ yuán lái zú zú zhòng le hǎo duō bèi   lǘ zi nǎ lǐ zhī dào zhè ge yuán
水，比原来足足重了好多倍。驴子哪里知道这个原

yīn na   tā gǎn dào zì
因哪！它感到自

jǐ de shēn zi zài wǎng
己的身子在往

xià chén   jiù pīn mìng
下沉，就拼命

hǎn dào   zhǔ rén na
喊道："主人哪，

wǒ kuài bù xíng le   jiù
我快不行了，救

mìng a   xiǎo fàn xiào
命啊！"小贩笑

zhe bǎ nà tóu chuǎn zhe
着把那头喘着

粗气的驴拉上岸，然后没好气地对驴说："这回你记住了，别老想着偷懒，差点儿把自己的性命给搭上了。"

驴乖乖地点点头："下次不敢了。"可是这一回，驴得驮着比原来重好多倍的棉花回家。这对它来说，也是一个教训。

寓言一点通

这个寓言告诉我们：同样的方法用在不同的地方时，会得到完全不同的效果。那头自以为聪明的驴，却不明白这一点，结果聪明反被聪明误，差点儿害了自己。

nóng fū hé tā de ér zi
农夫和他的儿子

yī gè nóng fū yǐ zhòng zhí pú tao wéi shēng tā yǒu sān gè hào chī lǎn
一个农夫以种植葡萄为生，他有三个好吃懒

zuò de ér zi zǒng shì xiǎng zhe shén me shí hou kě yǐ tū rán dé dào yī dà
做的儿子，总是想着什么时候可以突然得到一大

bǐ cái fù rán hòu qīng qīng sōng sōng de guò shàng hǎo rì zi nóng fū nài xīn
笔财富，然后轻轻松松地过上好日子。农夫耐心

de quàn gào ér zi tiān shàng bù huì diào xià xiàn bǐng lái de nǐ men hái shi
地劝告儿子："天上不会掉下馅饼来的，你们还是

lǎo lǎo shí shí de xué zhòng pú tao zhè yàng cái néng guò shàng hǎo rì zi
老老实实地学种葡萄，这样才能过上好日子。"

kě sān gè ér zi shéi yě bù tīng
可三个儿子谁也不听。

nóng fū yuè lái
农夫越来

yuè lǎo le tā zài
越老了，他在

lín sǐ qián bǎ sān gè
临死前把三个

ér zi dōu jiào dào miàn
儿子都叫到面

qián shén mì de duì
前，神秘地对

tā men shuō nǐ men
他们说："你们

tīng hǎo le zài wǒ
听好了，在我

men jiā de pú tao yuán
们家的葡萄园

里，埋着我用一生的积蓄换来的宝贝，你们要仔仔细细地把地翻一遍才能找到。如果能得到这个宝贝，以后一辈子就不愁吃穿了。"说完就离开了人世。

三个儿子按父亲说的话，把葡萄园里的地仔仔细细地翻了一遍，可是并没有找到父亲说的宝贝。于是他们又仔仔细细地翻第二遍、第三遍，结果还是什么也没找到。他们十分生气，以为父亲在临死前跟他们开了一个玩笑。

之后事情发生了意想不到的变化。到了这年秋天，因为葡萄园被农夫的三个儿子翻了好几遍，土地变得特别松软，所以葡萄长得特别好：个儿

tè bié dà   shù liàng tè bié
特别大，数量特别

duō wèi dào yě tè bié tián
多，味道也特别甜。

pú tao huò dé le dà
葡萄获得了大

fēng shōu sān gè ér zi yòng
丰收，三个儿子用

tā men huàn lái hěn duō qián
它们换来很多钱。

cǐ shí tā men cái zhēn zhèng
此时他们才真正

míng bai fù qīn lín zhōng qián
明白：父亲临终前

shuō de nà ge bǎo bèi   yuán
说的那个宝贝，原

lái jiù shì zì jǐ de shuāng
来就是自己的双

shǒu wa   cóng cǐ tā men tōng
手哇。从此他们通

guò xīn qín láo dòng   guò shàng
过辛勤劳动，过上

le xìng fú de shēng huó
了幸福的生活。

寓言一点通

这个寓言告诉我们：农夫说的宝贝其实就是勤劳的双手。这个宝贝每个人都有，但并不是每个人都知道。故事中农夫的儿子正是依靠自己的双手，通过辛勤劳动，获得了丰收，才换来更多的财富，过上了幸福的生活。

mǎ hé lǘ
马和驴

　　yǒu rén yǎng le yī pǐ mǎ hé yī tóu lǘ　mǎ zǒng rèn wéi zì jǐ hěn liǎo
　　有人养了一匹马和一头驴。马总认为自己很了
bu qǐ　kàn bu qǐ lǘ
不起，看不起驴。

　　yǒu yī tiān　zhǔ rén xiǎng yào mǎ hé lǘ yī qǐ bǎ huò wù sòng dào yuǎn
　　有一天，主人想要马和驴一起把货物送到远
chù de yī gè xiǎo zhèn qù　dāng mǎ kàn dào zhǔ rén ná zhe huò wù xiàng tā men
处的一个小镇去。当马看到主人拿着货物向它们
zǒu lái shí　jiù qiāo qiāo de liū dào yī biān　shēng pà zhǔ rén bǎ chén zhòng de
走来时，就悄悄地溜到一边，生怕主人把沉重的
huò wù fàng dào zì jǐ bèi shang　zhè shí　zhǔ rén jiù bǎ liǎng dà bāo huò wù dōu
货物放到自己背上。这时，主人就把两大包货物都
fàng dào le lǘ de bèi shang
放到了驴的背上。

这时，自以为占了便宜的马很得意，笑着对驴说：“伙计，你为什么不像我一样走开呢？那样主人就不会把货物放到你的背上了。看你，多累呀。”

“主人养我们就是用来干活的。这些货物如果不是我驮，就是你驮了。”驴说。

主人牵着马和驴上路了。一路上，马轻松自在，东看看，西瞧瞧，就像在游玩。驴却越走越慢，重重的货物压得它喘不过气来。

“伙计，我实在是累得不行了，你能不能帮我分担一点儿？”驴一边说一边直喘气。

“这可不行！”马一点儿也不想帮助驴，“把这么重的东西压到我背上，我会累坏的。谁叫你自己愿意驮这些东西呢。"

没办法,驴只好独自驮着重重的货物。它越走越慢,越走越慢,最后终于支撑不住,在半路上倒下,累死了。

这下,主人就把驴背上的货物全都放到了马的背上,还把驴的尸体也放到马的背上。马从来没背过这么重的货物,真是太辛苦了。这时它才想起:如果刚才帮助驴驮一半东西,就不会像现在这样辛苦了。

寓言一点通

这个寓言告诉我们:马自以为聪明,总是想尽办法来偷懒,甚至还瞧不起勤劳忠实的驴,最后却为此付出了更多的代价。失去了驴的帮忙,马不仅不能偷懒,还得更辛苦地干活。

mǎ yǐ hé chán
蚂蚁和蝉

大树上住着一只蝉,大树下住着一群蚂蚁。

夏天的时候,大树上的食物很多,蝉根本不用费力,就能吃得饱饱的,因此,它把大部分时间都用来游玩、唱歌,每天从早到晚都能听到它的歌声。

大树下的蚂蚁整天都在忙碌着,从早到晚到处寻找食物,并把找到的食物一点儿一点儿地搬回洞里。蝉看到蚂蚁们一刻不停地忙碌着,不解地问道:"你们每天搬那么多食物干什么呀?你们吃得完吗?"蚂蚁抬头看了一眼蝉，说道："我们哪里是为了现在吃啊！虽然现在吃的东西很多，但到了冬天就不多了，我们得把冬天的粮食准备好。"

蝉讥笑道："冬天，冬天还早着呢！你们真是瞎着急，冬天的事到冬天再做也来得及呀。现在应该是快快乐乐地享受才对。"说着又悠闲自得地唱起歌来。

转眼秋去冬来。一到冬天，树林里的食物就越来越少了。蝉到处找吃的，却什么也找不到，这

cái kāi shǐ zháo jí qǐ lái hū
才开始着急起来。忽

rán tā xiǎng dào mǎ yǐ men
然，它想到蚂蚁们

zài qiū tiān de shí hou zhǔn bèi
在秋天的时候准备

le chōng zú de liáng shi jiù
了充足的粮食，就

pǎo dào mǎ yǐ dòng li kěn qiú
跑到蚂蚁洞里，恳求

dào mǎ yǐ xiōng di qǐng gěi
道："蚂蚁兄弟，请给

wǒ yī diǎnr liáng shi ba wǒ
我一点儿粮食吧，我

zhēn de hǎo è ya
真的好饿呀。"

mǎ yǐ wèn dào zǎo zhī dào zhè yàng nǐ wèi shén me bù zài xià tiān
蚂蚁问道："早知道这样，你为什么不在夏天

de shí hou zhǔn bèi hǎo liáng shi ne
的时候准备好粮食呢？"

chán bù zhī xiū chǐ de shuō dào zhěng gè xià tiān wǒ dōu zài máng nǎ
蝉不知羞耻地说道："整个夏天我都在忙，哪

yǒu shí jiān zhǔn bèi ya
有时间准备呀？"

mǎ yǐ tīng le shēng qì de shuō rú guǒ nǐ zhěng tiān chī hē wán lè
蚂蚁听了，生气地说："如果你整天吃喝玩乐

yě suàn máng huo de huà nà me nǐ yǒng yuǎn yě bié xiǎng dé dào bāng zhù
也算忙活的话，那么你永远也别想得到帮助。"

寓言一点通

这个寓言告诉我们：有的人为有价值的事情
而忙碌，有的人却整天忙于玩乐，最终他们得到完
全不一样的结果。整天玩乐而不考虑结果的人，最
后连生存也会出现危机。

纪昌学射箭

古时候有个青年叫纪昌，向当时非常有名的射箭高手飞卫学习射箭。飞卫对纪昌说："要想学好射箭，首先要练好盯着目标不眨眼的本领，这是基本功。"纪昌就每天躺在织布机下，目不转睛地注视着飞快穿行的梭子。

这样一练就是两年。两年后，即使用锥子刺向他的眼眶，他也能做到不眨眼。

纪昌以为这下可以学射箭的本领了，没想到飞卫又向他提出新的任务："要想学好射箭，还要有好的眼力。这种好眼力就是

néng bǎ hěn xiǎo de shì
能把很小的事
wù qīng chu de fàng
物清楚地放
dà 。" jǐ chāng jiù
大。"纪昌就
yòng niú máo shuān zhù
用牛毛拴住
xiǎo xiǎo de shī zi
小小的虱子，
bǎ tā guà zài chuāng shang
把它挂在窗上
měi tiān dīng zhe kàn zhè yàng yī liàn yòu shì sān nián
每天盯着看。这样一练又是三年。

sān nián hòu xiǎo xiǎo de shī zi zài jǐ chāng yǎn li jìng rán yǒu chē lún
三年后，小小的虱子在纪昌眼里竟然有车轮
bān dà xiǎo le dāng tā miáo zhǔn shī zi shí lā gōng yī jiàn shè qù biàn zhǔn
般大小了。当他瞄准虱子时，拉弓一箭射去，便准
què de shè zhòng shī zi de xīn zàng ér diào shī zi de niú máo què wén sī bù
确地射中虱子的心脏，而吊虱子的牛毛却纹丝不
dòng fēi wèi gāo xìng de shuō xiàn zài nǐ yǐ jīng bǎ shè jiàn de jī běn gōng
动。飞卫高兴地说："现在你已经把射箭的基本功
zhēn zhèng zhǎng wò le bù guò zhè hái zhǐ shì gāng qǐ bù hái xū yào gèng
真正掌握了。不过，这还只是刚起步，还需要更
duō de liàn xí cái néng zhēn zhèng yǒu yī shǒu hǎo jiàn fǎ hòu lái jǐ chāng
多地练习，才能真正有一手好箭法。"后来纪昌
jì xù qín xué kǔ liàn zhōng yú chéng wéi yī míng shén shè shǒu
继续勤学苦练，终于成为一名神射手。

寓言一点通

　　这个寓言告诉我们：要想学好一种本领，没有
任何捷径可走，只能是勤学苦练，就像故事中的纪
昌那样，刻苦练习数年，才能真正学到本领。

liǎng zhī qīng wā
两只青蛙

cóng qián yǒu liǎng zhī qīng wā　　tā men shì yī duì hǎo péng you　　yī zhī
从前有两只青蛙，它们是一对好朋友。一只

qīng wā zhù zài shēn shuǐ chí zhōng　　nà lǐ de huán jìng ān quán shū shì　　shí wù
青蛙住在深水池中，那里的环境安全舒适，食物

yě hěn fēng fù　　lìng yī zhī qīng wā zhù zài dà lù biān de shuǐ gōu li　　gōu li
也很丰富。另一只青蛙住在大路边的水沟里，沟里

shuǐ bù duō　　ér qiě lù biān chē lái chē wǎng hěn bù ān quán
水不多，而且路边车来车往很不安全。

yǒu yī tiān　　shēn shuǐ chí zhōng de qīng wā lái kàn wàng shuǐ gōu li de qīng
有一天，深水池中的青蛙来看望水沟里的青

wā　　tā zhù yì dào shuǐ gōu li de shuǐ bǐ yǐ wǎng yòu qiǎn le xǔ duō　　bù yóu
蛙。它注意到水沟里的水比以往又浅了许多，不由

de dān xīn qǐ lái　　péng you wa　　zhè lǐ de
得担心起来："朋友哇，这里的

shuǐ yuè lái yuè qiǎn le　　bù shì hé nǐ zhù le
水越来越浅了，不适合你住了，

nǐ hái shi bān dào shēn shuǐ chí zhōng
你还是搬到深水池中

hé wǒ yī qǐ zhù ba　　shuǐ gōu li
和我一起住吧。"水沟里

de qīng wā shēn le shēn lǎn yāo shuō
的青蛙伸了伸懒腰说：

péng you　　xiè xie nǐ de hǎo yì
"朋友，谢谢你的好意，

wǒ yī zhí shēng huó zài zhè lǐ　　méi
我一直生活在这里，没

jué de yǒu shén me bù hǎo
觉得有什么不好。"

"可是，这里离大路这么近，万一有车子开过来，太危险了。"深水池里的青蛙担心地说。

"哈，别担心，这么长时间我不是生活得好好的？搬家可是件辛苦的事，我不想让自己那么辛苦。我也不想改变我的生活习惯。"

深水池中的青蛙见没办法说服它，只好摇摇头离开了。可是没过多久，一辆满载货物的大货车果真开进了路边的水沟里，把那只不愿意搬家的青蛙给轧死了。

寓言一点通

这个寓言告诉我们：对一个人来说，惰性是最可怕的敌人。在一种环境中待久了，自然会产生惰性，不思进取。当周围环境和条件发生变化，不适合生存时，就应该善于改变自己，否则就会给自己带来危险。不愿搬家的青蛙的下场，就是一个很好的教训。

借技术
jiè jì shù

从前有两个兄弟，他们都以雕刻艺术品为生。哥哥非常好学，努力地钻研雕刻技术，雕刻出的工艺品栩栩如生，顾客见了总是争相购买。弟弟却从小好吃懒做，不肯用心学习，每次雕刻作品总是马马虎虎，因此雕刻出来的东西没有人买。

弟弟很妒忌哥哥的才能，心想：要是有办法能把哥哥的技术搞到手就好了。弟弟知道哥哥是个随和大方的人，就试着向哥哥借雕刻的技术。

一天，弟弟跑到哥哥面前，吞吞吐吐地说："哥哥，我想向你借……"弟弟话说到一半停住了。

哥哥以为他想借材料，就把几块加工好的木料拿出来说："这是最好的木料，你拿去用吧。"可是弟弟摇摇头说："不，我想借你的……"哥哥以为他要借工具，忙拿出磨得雪亮的雕刻刀说："借工具是吗？你随便挑吧。"弟弟涨红了脸，终于把话说出口："木料、工具这些我都有，我想借的是你的技术。"

哥哥听了哈哈大笑起来："这可就难了。材料、工具我都可以借给你，唯独技术在我身上，没有办法借给你，只能靠你自己去学去练了。"弟弟听了，惭愧地低下了头。

寓言一点通

这个寓言告诉我们：一个人要想真正拥有一门精湛的技术，只有通过勤学苦练、脚踏实地地去做才行，想走任何捷径都是行不通的。可想而知，故事中的弟弟是不可能把哥哥的技术借到手的。

yě mán yǔ yǒng gǎn
野蛮与勇敢

guǒ yuán li de pú tao chéng shú le　yī chuàn chuàn de guà xià lái　shí
果园里的葡萄成熟了，一串串地挂下来，十

fēn yòu rén　hái zi men jiàn le　shéi dōu xiǎng chī　kě shì nà lǐ zā zhe lí
分诱人。孩子们见了，谁都想吃。可是那里扎着篱

ba　hái yǎng zhe yī tiáo dà láng gǒu　tā men dōu bù gǎn jìn qù
笆，还养着一条大狼狗，他们都不敢进去。

zhǐ yǒu tāng mǔ dǎn zi zuì dà　tā bù pà gǒu　yòu huì pá lí ba　méi
只有汤姆胆子最大，他不怕狗，又会爬篱笆。没

yī huìr　tā jiù fān guò
一会儿，他就翻过

lí ba　jìn le guǒ yuán　hái
篱笆，进了果园，还

yòng dà shí tou xià pǎo le dà
用大石头吓跑了大

láng gǒu　tāng mǔ zhāi le yī
狼狗。汤姆摘了一

dà chuàn pú tao fēn gěi xiǎo
大串葡萄分给小

huǒ bàn men chī　dà jiā dōu
伙伴们吃。大家都

shuō tāng mǔ shì zuì yǒng gǎn de hái zi
说汤姆是最勇敢的孩子。

tāng mǔ tīng le hěn gāo xìng　jiù
汤姆听了很高兴，就

pǎo huí jiā bǎ zhè jiàn shì gào su le bà
跑回家把这件事告诉了爸

ba　bà ba　nǐ zhī dào ma　dà jiā
爸："爸爸，你知道吗，大家

都说我是最勇敢的
孩子。"

爸爸问："是吗？
那你的勇敢表现在
什么地方呢？"

汤姆神气地说：
"大家都想吃果园
里的葡萄，可是他们
都怕大狼狗，还不敢爬篱笆，只能望着葡萄发呆。
只有我不怕大狼狗，还会爬篱笆，是我帮大家摘到
了葡萄，所以大家都说我最勇敢。"

爸爸看着汤姆，严肃地说："你偷吃人家的葡
萄，干的是一件坏事。干坏事胆大不叫勇敢，那叫
野蛮。"汤姆听了，难过地低下了头。爸爸见了，马
上说道："不过，汤姆，如果你愿意大胆地承认自
己的错误，那才是真正的勇敢。我想，你应该向
果园的主人认错。"

汤姆觉得这样做太难为情了，不肯去。爸爸又

gǔ lì tā yǒng gǎn de rén jiù huì zhàn shèng zì jǐ nǐ néng zhàn shèng zì jǐ
鼓励他："勇敢的人就会战胜自己，你能战胜自己

de cuò wù ma tāng mǔ zhōng yú hóng zhe liǎn qù le guǒ yuán de zhǔ rén jiā
的错误吗？"汤姆终于红着脸去了果园的主人家。

dāng tā huí dào jiā li shí zhǐ jiàn zhuō zi shang fàng zhe yī dà pán xīn
当他回到家里时，只见桌子上放着一大盘新

xiān de pú tao páng biān hái yǒu yī zhāng bà ba de liú yán gěi zhàn shèng
鲜的葡萄，旁边还有一张爸爸的留言："给战胜

zì jǐ de yǒng gǎn zhě de jiǎng lì
自己的勇敢者的奖励。"

寓言一点通

　　这个寓言告诉我们：野蛮的行为不是勇敢的表现。一个人能承认自己的错误，并努力去改正，不是一件容易的事情，需要很大的勇气。拥有这种勇气是一种真正的勇敢，就像故事中的汤姆一样。

zhú sǔn hé shí tou
竹笋和石头

一场春雨过后，小竹笋就在地下伸出胳膊，长出新芽，带着稚气钻破土层，顶到了地面。它感受到清新的空气和阳光，于是快乐地想：我一定要快快长大，长得高高的，那样就可以看到更多的新事物了。

就在小竹笋用力地往上长的时候，突然有一块硬硬的东西挡住了它。小竹笋伸长脑袋仔细一瞧："哦，原来是一块大石头哇！"

小竹笋开始

犹豫起来：我的脑袋那么细小，能顶得过大石头吗？它那么重，立在那儿一动不动，我该怎么办呢？

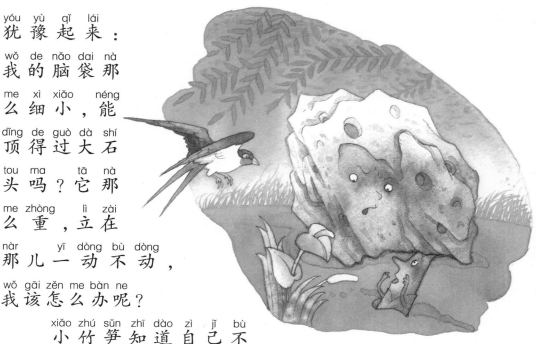

小竹笋知道自己不能退缩，必须往上生长，才能长成高大挺拔的竹子。于是，它仰起头，试着和大石头商量："石头先生，我是刚从地下钻出来的小竹笋，我想往上长，可是您挡住我了。请您让开一点儿，好吗？"

大石头连瞧都不瞧它一眼，冷冷地说："我在这儿待了好多年了，为什么要给你让路？你要往上生长，就要靠你自己的本事了。"说着只管自己打起瞌睡来。

小竹笋听了大石头的话，有些伤心，但它并不埋怨大石头，而是一个劲儿地吸收土壤里的营养，不停地吸收，不停地生长，让自己的躯干变得更粗壮，更有力。小竹笋使劲地往上长，用力，用力，"嘎巴"一声拔节了。

小竹笋没有停下来，拼命地往上长，往上长，即使芽头被大石头磨破也不怕。一天，它运足所有力气往上长，终于把大石头顶翻了，看到了明媚的阳光。

寓言一点通

这个寓言告诉我们：生活中，我们肯定会遇到各种各样的困难。在面对困难时，我们不能轻易低头，只有充满信心、坚持不懈地努力，才能克服它，并最终获得成功，就像故事中的小竹笋那样。

liǎng gè hé shang
两个和尚

gǔ shí hou yǒu liǎng gè hé shang yī gè hěn yǒu qián yī gè yī pín rú
古时候有两个和尚，一个很有钱，一个一贫如
xǐ dàn liǎng rén dōu hěn xiǎng qù nán hǎi qǔ jīng
洗，但两人都很想去南海取经。

yī tiān qióng hé shang duì fù hé shang shuō wǒ míng tiān jiù chū fā
一天，穷和尚对富和尚说："我明天就出发
qù nán hǎi nǐ yuàn yì hé wǒ yī qǐ qù ma
去南海，你愿意和我一起去吗？"

fù hé shang chī le yī jīng wèn dào dào nán hǎi lù tú yáo yuǎn yī
富和尚吃了一惊，问道："到南海路途遥远，一
lù shang yào bá shān shè shuǐ nǐ dōu zuò le nǎ xiē zhǔn bèi ne zài fù hé
路上要跋山涉水，你都做了哪些准备呢？"在富和
shang kàn lái qù nán hǎi qǔ jīng kě shì yī jiàn fēi cháng kùn nan de shì qing
尚看来，去南海取经可是一件非常困难的事情。

qióng hé shang zhǐ le zhǐ suí shēn dài de
穷和尚指了指随身带的
bù dài shuō wǒ de bù dài li zhuāng zhe yī
布袋说："我的布袋里装着一
gè píng zi hé yī gè fàn bō yòng lái zhuāng
个瓶子和一个饭钵，用来装
shuǐ hé chéng fàn yī lù shang zhǐ yào yǒu shuǐ
水和盛饭。一路上只要有水
hē yǒu fàn tián bǎo dù zi wǒ jiù shén me
喝，有饭填饱肚子，我就什么
dōu bù pà le
都不怕了。"

fù hé shang yáo yáo tóu shuō yī lù
富和尚摇摇头说："一路

上山高水长的，要走到什么时候才会到哇。

我觉得你想得太简单，我得再做些准备。"

穷和尚说："其实，最重要的是心理上的准备。你是否做好了克服一切困难的准备？是否已经下定要去南海的决心？"

富和尚说："我当然已经下定决心，但是我现在还需要攒足够的钱，然后买一条船。有了船就方便多了，去南海就不再是一件困难的事情。"

穷和尚独自出发了，富和尚留下来继续攒钱。一年后，穷和尚历尽磨难，终于从南海归来。而富和尚仍然在攒钱，南海之行八字还没一撇呢。

寓言一点通

这个寓言告诉我们：只要具备战胜困难的决心和勇气，那么一切困难都会迎刃而解。相反，缩手缩脚、畏首畏尾是懦弱的表现，终将一事无成。

cì fēi zhǎn jiāo
次非斩蛟

楚国有个叫次非的人，从邻国购得一把锋利异常的宝剑，喜欢极了。一天，他带着心爱的宝剑坐船回国，在船上又忍不住拿出宝剑来欣赏。同船的人见了，好奇地问道："先生，看得出你十分喜欢这把宝剑，不知道它有什么特别之处？"次非笑着说："这把宝剑锋利异常，削铁如泥。"同船的人说："想来先生一定是个有真本事的人，才配

得上如此宝剑。"次非听了笑而不答。

正在这时，忽然江面上蹿出一条大蛟，把渡船死死缠住不放，不少乘客吓得呼天抢地。

在这个紧要关头，次非非常冷静，猛地抽出宝剑，大喝一声：“为了保住全船人的性命，我愿意和大蛟决一死战。”说完跳入水中，与大蛟拼死搏斗。次非奋力地舞动着宝剑，刺向蛟的身体要害，终于斩死了大蛟，保住了全船人的性命。

大家非常感谢次非，都说：“只有您这样的勇士，才真正配得上这样的宝剑哪。”

寓言一点通

遇到危难时，是退缩还是前进，是保全自己还是保卫众人，这是判断勇敢者还是怯懦者的试金石。为保卫大众的利益而勇往直前的勇士，是永远值得称赞的。

三只公牛和一头狮子

sān zhī gōng niú hé yī tóu shī zi

有三只公牛一直生活在一起。它们每天一起出去吃草，一起散步，从来都不分开，日子过得宁静而快乐。

山上有一头狮子，总在打这三只公牛的主意，想方设法要吃这三只公牛。狮子知道凭它自己的力量，根本不是三只公牛的对手。如果有办法让三只公牛分开，问题就解决了。最后，狮子想出了一个好主意。

yǒu yī tiān　shī zi pǎo dào hú li
有一天，狮子跑到狐狸

nà lǐ　duì tā shuō　　nǐ zhī dào ma
那里，对它说："你知道吗，

sān zhī gōng niú zhōng yǒu yī zhī tè bié lì
三只公牛中有一只特别厉

hai　lián wǒ dōu pà tā sān fēn　qí tā liǎng
害，连我都怕它三分，其他两

zhī gōng niú zǒng shì hé tā zài yī qǐ　jiù
只公牛总是和它在一起，就

shì wèi le dé dào tā de bǎo hù wa
是为了得到它的保护哇。"

hú li duì shī zi de huà xìn yǐ wéi
狐狸对狮子的话信以为

zhēn　jiù bǎ zhè jiàn shì gào su le xióng
真，就把这件事告诉了熊，

xióng yòu bǎ zhè jiàn shì gào su le cháng jǐng
熊又把这件事告诉了长颈

lù　zhè yàng yī chuán shí　shí chuán bǎi
鹿，这样一传十，十传百，

zuì hòu chuán dào le sān zhī gōng niú de ěr
最后传到了三只公牛的耳

duo li　sān zhī gōng niú jìng rán yě dōu xìn
朵里。三只公牛竟然也都信

yǐ wéi zhēn　wèi le fēn biàn chū shéi shì tā men zhōng zuì lì hai de nà zhī　tā
以为真。为了分辨出谁是它们中最厉害的那只，它

men dǎ le qǐ lái　zuì hòu tā men shéi yě bù fú shéi　zhǐ hǎo fēn kāi le　yǐ
们打了起来。最后它们谁也不服谁，只好分开了，以

xiǎn shì zì jǐ shì zuì lì hai de　yòng bù zháo bié rén bǎo hù
显示自己是最厉害的，用不着别人保护。

shī zi yī zhí zài bù yuǎn chù de shān shang zhù shì zhe tā men　dāng sān
狮子一直在不远处的山上注视着它们。当三

zhī gōng niú bù zài yī qǐ chū xiàn zài shān pō shang shí　tā zhī dào zì jǐ de
只公牛不再一起出现在山坡上时，它知道自己的

jǐ huì lái le
机会来了。

一天，狮子看到一只公牛在吃草，就奋力朝那只公牛扑过去。尽管公牛使劲地用角顶，用蹄子踢，但还是敌不过狮子的尖牙和利爪，最终成了狮子的美餐。狮子又用同样的方法，把其余的两只公牛也都吃了。

三只公牛直到死，也不知道它们是怎么上了狮子的当。它们只知道自己的力量不如狮子，却没有想到，它们在一起的时候，力量远远大于狮子，那时候才是最安全的。

寓言一点通

这个寓言告诉我们：一个团队的力量是无可比拟的，其中的每个成员都是十分重要的。但是当他们分开的时候，也许就会轻而易举地被对手击败。如果故事中的三只公牛也明白这个道理，就不会落得如此下场。

nóng fū hé tā de wǔ gè ér zi
农夫和他的五个儿子

nóng fū yǒu wǔ gè ér zi， kě zhè wǔ gè ér zi yī diǎnr yě bù
农夫有五个儿子，可这五个儿子一点儿也不

tuán jié， zǒng shì wèi le yī diǎn diǎn xiǎo shì chǎo gè bù tíng
团结，总是为了一点点小事吵个不停。

nóng fū hěn shēng qì， duì tā men shuō： nǐ men dōu zhè me dà le，
农夫很生气，对他们说："你们都这么大了，

zěn me yī diǎnr dōu bù dǒng shì a dà jiā yào tuán jié yī xiē zhè yàng cái
怎么一点儿都不懂事啊。大家要团结一些，这样才

hǎo。 kě shì wǔ gè ér zi shéi yě tīng bù jìn nóng fū de huà
好。"可是五个儿子谁也听不进农夫的话。

yǒu yī tiān， nóng fū bǎ wǔ gè ér zi jiào dào yī qǐ， rán hòu ná chū
有一天，农夫把五个儿子叫到一起，然后拿出

yī kǔn xì mù cái shuō： nǐ men shéi néng bǎ zhè kǔn xì mù cái zhé duàn
一捆细木材说："你们谁能把这捆细木材折断？"

五个儿子一个接一个地试着，可是他们费了九牛二虎之力，都没能把这捆细木材折断。

"爸爸，这捆细木材太结实了，我们都没办法把它折断。"五个儿子老老实实地回答。

听了五个儿子的话，农夫什么也没说，而是解开捆细木材的绳子，并从中抽出五根，让每个儿子每人拿一根。

"来，你们再试一试，看能不能把它折断。"

只听"咔嚓""咔嚓"几声，五个儿子都毫不费力地把自己手中的一根细木材折断了。很快，一捆

xì mù cái jiù zhè yàng qīng qīng sōng sōng de bèi tā men yī gēn gēn zhé duàn le
细木材就这样轻轻松松地被他们一根根折断了。

zhè shí nóng fū shuō nǐ men kàn gāng cái nǐ men shéi yě jiě jué
这时，农夫说："你们看，刚才你们谁也解决

bù liǎo de wèn tí xiàn zài wèi shén me yī xià zi jiù jiě jué le ne qí shí
不了的问题，现在为什么一下子就解决了呢？其实

nǐ men tuán jié zài yī qǐ de shí hou jiù xiàng zhè kǔn xì mù cái yī yàng shéi
你们团结在一起的时候，就像这捆细木材一样，谁

yě bié xiǎng bǎ nǐ men zhé duàn yī dàn nǐ men fēn kāi jiù xiàng zhè yī gēn
也别想把你们折断。一旦你们分开，就像这一根

gēn xì mù cái hěn kuài jiù huì bèi rén zhé duàn de
根细木材，很快就会被人折断的。"

wǔ gè ér zi zhōng yú míng bai le fù qīn de xīn si cóng cǐ tā
五个儿子终于明白了父亲的心思，从此，他

men tuán jié zài yī qǐ hé mù xiāng chǔ zài yě bù chǎo nào le
们团结在一起，和睦相处，再也不吵闹了。

寓言一点通

这个寓言告诉我们：同样的细木材，一根易折断，一捆就难折断；同样是树，独木不成林，连成片了就能挡风防洪。可见团结就是力量，就能战胜一切困难。

táo lí huǒ hǎi
逃离火海

yī wèi máng rén hé yī wèi bǒ zi zhù zài yī qǐ tā men hù xiāng bāng
一位盲人和一位跛子住在一起，他们互相帮

zhù xiāng yī wéi mìng
助，相依为命。

yǒu yī tiān tā men zhù de fáng zi hū rán zháo huǒ le bǒ zi kàn dào
有一天，他们住的房子忽然着火了。跛子看到

xióng xióng dà huǒ jí de dà jiào qǐ lái bù hǎo le zháo huǒ le zháo huǒ
熊熊大火，急得大叫起来："不好了，着火了！着火

le kě shì tā de jiǎo zǒu bù kuài jí yě méi yǒu yòng a zhè shí máng
了！"可是他的脚走不快，急也没有用啊。这时，盲

rén yě xiǎng jǐn kuài lí kāi zhè ge wēi xiǎn de dì fang kě shì tā kàn bù jiàn
人也想尽快离开这个危险的地方，可是他看不见

lù zhǐ néng jí de zhí duò jiǎo
路，只能急得直跺脚。

zuì hòu bǒ zi
最后跛子

lěng jìng de shuō nǐ
冷静地说："你

néng pǎo nǐ bēi zhe
能跑，你背着

wǒ wǒ néng kàn wǒ
我；我能看，我

gěi nǐ zhǐ lù wǒ
给你指路。我

xiāng xìn wǒ men yī dìng
相信我们一定

néng táo chū qù
能逃出去！"

"好！我们一起逃出去。"盲人也充满信心。

于是盲人背上跛子，跛子则在盲人的背上大声指挥着："向左走，左边火势小。""再往右，小心有张凳子。"跛子的指令清楚又准确。盲人随着跛子的指挥，迅速地向外跑去。

终于，两人靠着一双眼和两条腿，从熊熊大火中脱了险。当他们逃出越烧越旺的火场，人们都惊呆了："哦，太了不起了，真是一对精诚合作的患难兄弟。"

寓言一点通

这个寓言告诉我们：团结不仅出力量，也能出智慧，因为双方在协作过程中能取长补短，相互配合，从而获得成功。

狮子和野猪
shī zi hé yě zhū

有一年的夏天特别炎热,许多地方的水都被晒干了。狮子和野猪都在山林里到处找水喝。它们几乎找遍了整座山林,才在一个最深的山谷里找到一眼泉水。水虽然不多,但很清澈。狮子和野猪见了高兴极了,它们几乎同时冲向那眼泉水,结果就撞到了一起。

狮子和野猪谁也不肯退让。狮子说:"是我先发现的,让我先喝。"野猪生气地说:"明明是我发现的,凭什么要让你先喝。"狮子摆出一副大王的样子

说：“如果你能打赢我，就让你先喝。”野猪毫不示弱：“好哇！来吧，我才不怕你呢。”于是，狮子和野猪为了谁先喝水的问题打起来了。

狮子用爪子抓，牙齿咬；野猪用头撞，用獠牙刺。两个都使出了浑身的力气，打得你死我活，不可开交。

打了半天，狮子和野猪都累了。正当它们喘息的时候，狮子抬头看到有几只秃鹰在它们的上空盘旋，正死死地盯着它们。狮子猛地大叫一声：“别打了，快看哪！”野猪抬起头，也看到上空的秃鹰，心里一下子明白了：“是啊，只要我们一倒下去，就会

bèi tā men chī le
被它们吃了。"

shī zi hū rán biàn de yǒu hǎo le   duì yě zhū shuō   wǒ men tíng zhàn
狮子忽然变得友好了,对野猪说:"我们停战
ba   bǐ cǐ bù yào zài xiàng duì dài dí rén shì de   qí shí shéi xiān hē dōu
吧,彼此不要再像对待敌人似的。其实谁先喝都
xíng   zǒng bǐ bèi tū yīng chī le hǎo   yě zhū yě kè qi de shuō   nà nǐ
行,总比被秃鹰吃了好。"野猪也客气地说:"那你
xiān hē ba
先喝吧。"

yú shì   shī zi hé yě zhū lún liú hē zhe quán yǎn li de shuǐ   zhí dào
于是,狮子和野猪轮流喝着泉眼里的水,直到
liǎng gè dōu hē de bǎo bǎo de   jǐ zhī pán xuán zài shàng kōng de tū yīng jiàn méi
两个都喝得饱饱的。几只盘旋在上空的秃鹰见没
yǒu jī huì   zhǐ hǎo wú qù de fēi zǒu le
有机会,只好无趣地飞走了。

寓言一点通

这个寓言告诉我们:为了争取一点微不足道
的利益而争个你死我活,结果一定是两败俱伤。有
时候学着退一步,就会海阔天空,对双方都有好
处。试想一下:如果故事中的狮子和野猪一直斗下
去,会是什么样的结果呢?

以德报怨

yǐ dé bào yuàn

魏国大夫宁就在魏楚交界的地方当县令。他为人正直善良，为民做了许多好事，深受老百姓的爱戴。

有一次，魏国的瓜农发现自家瓜田里的西瓜晚上常常被糟蹋掉。一开始他们以为是山里的野猪干的，但是守了几天后并没有发现野猪，倒是发现了一个新情况：原来，有一伙人趁着夜色来捣乱，那些人正是楚国的瓜农。

遇到这样的事情，魏国的瓜农十分生气。他们连忙跑去报告县令

宁就："大人，楚国的瓜农每天晚上越界来糟蹋我们的西瓜，您看怎么办？"宁就听后，想了想说："他们为什么对你们的西瓜产生怨恨呢？"瓜农生气地说："就是因为他们自己种不好，又妒忌我们的西瓜长得好，才来破坏的。等到晚上，我们也把他们的西瓜给糟蹋掉。"

听了瓜农的话，宁就问道："如果我们也把他们的西瓜弄坏，那他们就会再来把我们的西瓜弄坏，这样的结果就是大家都别想有收成。"瓜农们无奈地说："那又有什么好办法，让他们别再来破坏呢？"宁就说："和为贵。如果我们能帮助他们，让他们也把西瓜种好，也许他们就不会再来破坏了。"

瓜农们虽然心里不乐意，但还是按宁就的意见去做，每天晚上去楚国的瓜田里浇水、施肥。一段

shí jiān xià lái　chǔ guó guā tián yě xǐ huò fēng shōu
时间下来，楚国瓜田也喜获丰收。

chǔ guó de guā nóng fā jué zì jǐ de xī guā zhǎng de yuè lái yuè hǎo
楚国的瓜农发觉自己的西瓜长得越来越好，

gǎn dào shí fēn qí guài　zhè shí　níng jiù duì tā men shuō　shì wèi guó de guā
感到十分奇怪。这时，宁就对他们说："是魏国的瓜

nóng bāng zhù nǐ men bǎ xī guā zhòng hǎo de　yǐ hòu　nǐ men kě yǐ xiàng tā
农帮助你们把西瓜种好的。以后，你们可以向他

men qǐng jiào　zì jǐ yě néng zhòng hǎo xī guā le　chǔ guó de guā nóng tīng
们请教，自己也能种好西瓜了。"楚国的瓜农听

le　yòu gǎn dòng yòu xiū kuì　máng xiàng níng jiù hé wèi guó de guā nóng biǎo shì
了，又感动又羞愧，忙向宁就和魏国的瓜农表示

qiàn yì hé gǎn xiè
歉意和感谢。

cóng cǐ　liǎng guó guā nóng hé mù xiāng chǔ　nián nián dōu yǒu hǎo shōu cheng
从此，两国瓜农和睦相处，年年都有好收成。

寓言一点通

　　这个寓言告诉我们：有了"和为贵"的思想，就能从大处着眼，从长远考虑，从而以德报怨，形成团结和睦的局面，最终对大家都有好处。故事中，宁就正是用这种思想影响大家，使两国瓜农都有了好收成。

gē zi hé mǎ yǐ
鸽子和蚂蚁

　　yī gè yán rè de xià tiān　mǎ yǐ kǒu kě le　dào quán biān qù hē shuǐ
　　一个炎热的夏天，蚂蚁口渴了，到泉边去喝水，

bù xiǎo xīn jiǎo xià yī huá　diào jìn shuǐ li　mǎ yǐ hài pà de dà jiào qǐ lái
不小心脚下一滑，掉进水里。蚂蚁害怕地大叫起来：

jiù mìng a　jiù mìng a
"救命啊，救命啊！"

　　quán biān yǒu kē shù　shù shang yǒu gè gē zi wō　gē zi tīng dào mǎ yǐ
　　泉边有棵树，树上有个鸽子窝。鸽子听到蚂蚁

de jiào shēng　jiù fēi le xià lái　tā kàn jiàn mǎ yǐ zài shuǐ zhōng zhēng zhá
的叫声，就飞了下来。它看见蚂蚁在水中挣扎，

lián máng xián qǐ yī gēn shù zhī　rēng dào shuǐ li　mǎ yǐ jǐn jǐn de zhuā zhù shù
连忙衔起一根树枝，扔到水里。蚂蚁紧紧地抓住树

zhī　zhōng yú dé jiù le
枝，终于得救了。

　　　　　　　　　　　mǎ yǐ gǎn jī de duì
　　　　　　　　　　　蚂蚁感激地对

　　　　　gē zi shuō　zhēn shì tài xiè
　　　　　鸽子说："真是太谢

　　xiè nǐ le　yǐ hòu yǒu yòng de
　　谢你了。以后有用得

　　shàng wǒ de dì fang　wǒ yuàn
　　上我的地方，我愿

　　yì dǐng lì xiāng zhù
　　意鼎力相助。"

　　guò le jǐ tiān　mǎ yǐ
　　过了几天，蚂蚁

jīng guò shù xià　hū rán kàn jiàn
经过树下，忽然看见

yī gè bǔ niǎo rén zhèng zhǔn bèi
一个捕鸟人正准备
yòng shéng tào hé niǎo wǎng qù bǔ
用绳套和鸟网去捕
zhuō shù shang de gē zi gē
捉树上的鸽子，鸽
zi què yī diǎnr yě méi fā
子却一点儿也没发
xiàn mǎ yǐ pīn mìng de dà
现。蚂蚁拼命地大
jiào kě shì gē zi zhèng zài
叫，可是鸽子正在
zhuān xīn de wèi gē bǎo bao yī
专心地喂鸽宝宝，一
diǎnr yě méi tīng dào mǎ yǐ
点儿也没听到。蚂蚁

xiǎng pá shàng shù qù tōng zhī gē zi kě shì yǐ jīng lái bu jí le
想爬上树去通知鸽子，可是已经来不及了。

zài jǐn jí guān tóu mǎ yǐ xiǎng chū yī gè zhǔ yi zhǐ jiàn tā xùn sù
在紧急关头，蚂蚁想出一个主意。只见它迅速
zuān jìn bǔ niǎo rén de xié zi li cháo tā de jiǎo shang hěn hěn de yǎo le yī
钻进捕鸟人的鞋子里，朝他的脚上狠狠地咬了一
kǒu bǔ niǎo rén tòng de dà jiào qǐ lái lián máng qù tuō xié zi zhè shí gē
口。捕鸟人痛得大叫起来，连忙去脱鞋子。这时，鸽
zi tīng dào bǔ niǎo rén de hǎn jiào shēng gǎn jǐn dài zhe hái zi men fēi zǒu le
子听到捕鸟人的喊叫声，赶紧带着孩子们飞走了。
mǎ yǐ zhè cái fàng xīn de lí kāi
蚂蚁这才放心地离开。

寓言一点通

这个寓言告诉我们：鸽子和蚂蚁都是势单力
薄的小动物，但它们都能在对方危难的时候，给予
帮助，从而获得了友谊。其实帮助别人就等于帮助
自己。

gǒu de yǒu yì
狗的友谊

huáng gǒu hé huī gǒu zài chú fáng wài de qiáng jiǎo biān shài tài yáng tā
黄狗和灰狗在厨房外的墙脚边晒太阳，它
men yī biān shài tài yáng yī biān tán qǐ le guān yú yǒu yì de huà tí
们一边晒太阳，一边谈起了关于"友谊的话题"。

huī gǒu shuō rén shēng zuì dà de xìng fú jiù shì néng hé zhōng chéng
灰狗说："人生最大的幸福，就是能和忠诚、
kě kào de péng you zài yī qǐ shēng huó gòng huàn nàn tóng xiǎng lè rú guǒ
可靠的朋友在一起生活，共患难，同享乐。如果
nǐ wǒ chéng wéi qīn mì de péng you yī dìng huì gèng kuài lè
你我成为亲密的朋友，一定会更快乐。"

tài hǎo le zhè zhèng shì wǒ suǒ xiǎng de jiù ràng wǒ men zuò hǎo péng
"太好了！这正是我所想的，就让我们做好朋
you ba huáng gǒu rè qíng de shuō
友吧。"黄狗热情地说。

liǎng gè hǎo péng you jǐn jǐn de yōng bào zài yī qǐ hù xiāng qīn rè
两个好朋友紧紧地拥抱在一起，互相亲热，

那股高兴劲，真不知道怎么形容。

就在这时，厨房里扔出来一根香喷喷的

肉骨头。灰狗和黄狗同时看到了那根诱人的肉骨头，立刻闪电似的朝肉骨头扑过去，谁也不让谁。灰狗说："是我先看到的。"黄狗用爪子抓着肉骨头说："明明是我先抢到的。"就这样，为了一根肉骨头，两只狗早就把刚才说的话忘得一干二净，开始相互撕咬、争斗，结果两败俱伤，灰狗和黄狗只好望着那根肉骨头发呆。

寓言一点通

这个寓言告诉我们：为了利益就放弃朋友，忘记友谊，这样的人不可能拥有真正的朋友，拥有真正的友谊。

不能再同路啦

bù néng zài tóng lù la

狐狸、狗熊和野猪一块儿去森林里玩。它们路过一座小桥，桥面很窄，而且有些摇晃。狐狸心想：这座桥一定不牢固，没准一走就会掉下去，我可不能走在最前面。于是就装出一副恭敬的样子对狗熊说："狗熊大哥，您最大，请您先过桥吧。"

狗熊走上桥。只听"轰"的一声，桥塌了，狗熊掉进水里。

看到狗熊掉进水里，狐狸暗自高兴：幸亏我没走在前面，要不然掉进水里的就是我了。

狐狸和野猪都站在岸上，并没有跳下去救狗熊的意思。它俩你看看我，我看看你，都希望对方下去救。

狐狸说：“野猪兄弟，你力气大，只有你下水才能把狗熊救上来。”野猪没好气地说：“不行，水太凉了，我下水会得病的，还是你下去吧。”当它们还在争论不休的时候，会游泳的狗熊已经自己爬上岸来了。

看到狗熊平安无事地从水里爬上岸，狐狸和野猪连忙笑着说：“哦，狗熊大哥，您没事就好，我们正为您担心呢。现在，让咱们一块儿继续往前走吧。”

狗熊却摇摇头说：“我想我们不能再同路啦。”说完头也不回地走了。

寓言一点通

这个寓言告诉我们：把朋友往险处推，见到朋友有难却不挺身相助，这不是真朋友的所作所为。狗熊的话是对的，与这种“朋友”不能再同路啦。

zhēn zhèng de péng you
真正的朋友

一个高个子和一个矮个子是好朋友。一天,他们一起到森林里玩。两人一路走一路说笑,突然远处传来"嚓嚓嚓"的怪声。

高个子说:"你听,那是什么声音?"矮个子还没反应过来,高个子已经看到树丛里有一头大熊,那怪声就是大熊发出来的。他大叫一声,没命地向前跑去。矮个子回头一看,发现一头大熊正朝他走来,他刚想跑却被树绊了一下摔倒了。

"朋友，帮我一下吧！"

矮个子很害怕，大声向高个子求救。可是高个子只顾自己逃命，哪里还顾得上矮个子。他看到前面有一棵大树，立即爬上了大树。

这时候，熊已经来到矮个子的身边，矮个子想逃也来不及了。在这危急关头，他突然想起有人说过，熊是不吃死人的。现在，不管这种说法是不是正确，也只得试一试了。矮个子立刻一动不动地躺在地上。当熊走过来的时候，他赶紧闭上眼睛，屏住呼吸。

熊用鼻子闻了闻矮个子身上的气息，然后又拱了

gǒng tā de shēn zi jiàn ǎi gè zi méi yǒu
拱他的身子，见矮个子没有

dòng jing jiù lí kāi le
动静，就离开了。

kàn dào xióng zǒu yuǎn le gāo gè zi
看到熊走远了，高个子

cái cóng shù shang pá xià lái tā kàn dào le
才从树上爬下来。他看到了

gāng cái nà yī mù gǎn dào hěn qí guài
刚才那一幕，感到很奇怪，

biàn wèn ǎi gè zi xióng zěn me méi yǎo
便问矮个子："熊怎么没咬

nǐ tā gāng cái zài nǐ de ěr duo biān shuō
你？它刚才在你的耳朵边说

shén me ne
什么呢？"

ǎi gè zi xiǎng le xiǎng shuō xióng
矮个子想了想说："熊

gào su wǒ zhǐ yǒu yī qǐ gòng huàn nàn de
告诉我，只有一起共患难的

péng you cái shì zhēn zhèng de péng you
朋友才是真正的朋友。"

gāo gè zi tīng le liǎn yī xià zi
高个子听了，脸一下子

zhàng hóng le
涨红了。

寓言一点通

　　这个寓言告诉我们：故事中，矮个子依靠自己
的智慧躲过了危险，同时也让他明白了一个道理：
危难时刻是检验真假朋友的试金石。

两条狗

liǎng tiáo gǒu

一个猎人养了两条狗，并给两条狗分配了不同的任务：一条狗专门在家看门，另一条狗专门上山打猎。每次打猎回来，猎人总是分一些猎物给看门狗吃。

猎狗看了觉得不满，就对看门狗说："我和主人整天在山间奔走，和那些凶猛的野兽搏斗，多辛苦哇。你每天坐在家里，什么事情也不干，凭什么

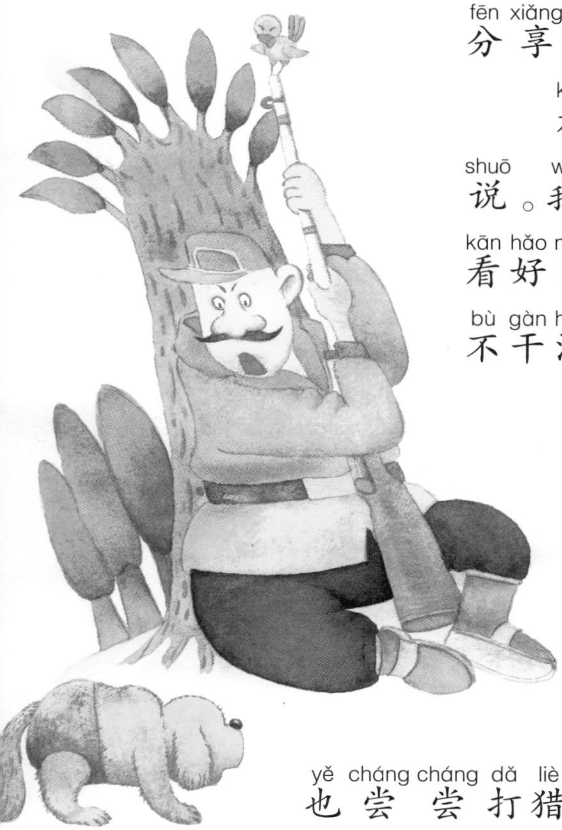

fēn xiǎng wǒ men de láo dòng guǒ shí
分享我们的劳动果实？”

kān mén gǒu shuō huà kě bù néng zhè me
看门狗说：“话可不能这么
shuō wǒ měi tiān zhōng yú zhí shǒu bāng zhǔ rén
说。我每天忠于职守，帮主人
kān hǎo mén bù ràng huài rén jìn lái bìng bù shì
看好门，不让坏人进来，并不是
bù gàn huó
不干活。”

liè gǒu bù xiè yī gù de shuō
猎狗不屑一顾地说：
zhè me qīng sōng de shì qing hái hǎo
“这么轻松的事情，还好
yì si shuō bù rú wǒ men míng tiān
意思说。不如我们明天
huàn yī huàn gōng zuò nǐ qù shàng shān
换一换工作，你去上山
dǎ liè wǒ zài jiā kān mén ràng nǐ
打猎，我在家看门，让你
yě cháng cháng dǎ liè de xīn kǔ nà cái gōng píng ne
也尝尝打猎的辛苦，那才公平呢。”

yú shì dì èr tiān liǎng tiáo gǒu jiāo huàn le gōng zuò liè gǒu zài jiā li
于是第二天，两条狗交换了工作：猎狗在家里
kān mén kān mén gǒu shàng shān dǎ liè kān mén gǒu dào le shān shang yóu yú
看门，看门狗上山打猎。看门狗到了山上，由于
bù shú xi shān li de dì xíng yě bù liǎo jiě niǎo shòu de pí xìng jié guǒ
不熟悉山里的地形，也不了解鸟兽的脾性，结果
máng le yī zhěng tiān jī hū méi yǒu shōu huò
忙了一整天，几乎没有收获。

liè rén zhǐ hǎo chuí tóu sàng qì de shuō ài kàn lái jīn tiān dà jiā
猎人只好垂头丧气地说：“唉，看来今天大家
dōu yào è dù zi le
都要饿肚子了。”

liè rén huí dào jiā li fā xiàn xiǎo tōu yǐ jīng bǎ tā jiā de dōng xi xí
猎人回到家里，发现小偷已经把他家的东西席

juǎn yī kōng　yuán lái zài jiā kān mén de liè gǒu　zhǐ gù zài qián tíng hòu yuàn luàn
卷一空。原来在家看门的猎狗，只顾在前庭后院乱

cuàn　què bù zhī dào zěn me xì　xì guān chá dòng jìng　jié guǒ ràng xiǎo tōu zuān
窜，却不知道怎么细细观察动静，结果让小偷钻

le kòng zi　bǎ jiā li de dōng xi dōu tōu zǒu le
了空子，把家里的东西都偷走了。

zhè tiān　liè rén bù dàn méi dǎ dào liè wù　lián jiā li yě bèi tōu guāng
这天，猎人不但没打到猎物，连家里也被偷光

le　jiù xùn chì liè gǒu shuō　zhè jiù shì nǐ de　gōng píng hé lǐ　dài lái
了，就训斥猎狗说："这就是你的'公平合理'带来

de è guǒ a
的恶果啊！"

寓言一点通

　　这个寓言告诉我们：一个集体中总得有分工，大家应各尽所能，相互协作。如果总是斤斤计较，必然会破坏正常的秩序，导致不好的结果。

wǎng zhōng niǎo
网中鸟

猎人在林子里设置了一张大网，结果轻而易举地捕捉到许多鸟，因此十分高兴。但是网里的鸟太多了，当这些鸟一起展翅飞翔时，竟然带着那张大网一起飞上了天空，猎人也跟着追了过去。

一个农夫看见猎人跟着天上的鸟群在跑，就好奇地问："鸟在天上飞，你怎么跑得过鸟哇？"

猎人笑着说："如果是一只鸟，我肯定跑不过它；但这是一群鸟，我就能追上它们。"

农夫不明白，又问："一只鸟都追不上，还能追得上一群鸟吗？"

猎人笑了："鸟太多，它们飞行的目标肯定不一致，最终就会乱作一团，不知道往哪里飞，到那时我就能抓住它们了。"

果然，这群鸟带着大网在天上飞了一阵后，都纷纷往自己的目标飞去。有的想飞到森林去，有的想飞到田野去，有的想飞到草原去。结果，目标不一致的行动最终导致它们一起坠落在地。

这时，猎人走过来，把大网收起来，果真将这群鸟一网打尽。

寓言一点通

这个寓言告诉我们：只有团结在一起，向着一个共同的目标而努力，才能产生无穷的力量。如果不齐心协力，各行其是，终将什么事也做不成。

时针、分针和秒针

闹钟里住着时针、分针和秒针。时针个头儿最矮，走得最慢；分针个头儿中等，行走速度也中等；秒针穿着显眼的红外衣，个头儿最高，走得也最快。它们三个一直和平共处，快乐地生活在一起。

有一天，它们竟然吵了起来。时针第一个吵着："在我们三个中，排行我最大，能力我最强，为什么我却长得最矮，也最不起眼呢？真是不公平。"

分针也不服气地说："在我们三个中，排行要数秒针最小，可是凭什么它能

穿显眼的红衣服，还在我们面前跳个不停，好像它有多重要似的。其实，在这个家里，少了它也没什么呀。"

听了时针和分针的话，秒针觉得委屈极了："你们也不想一想，在我们三个中，我最辛苦，谁都看得出我跑的路最多，喊的口令最多，为什么你们反而觉得我不重要呢？在这个家里，我不重要还有谁重要呢？"

"最重要的当然是我呀。"时针说。

"不对，最重要的是我。"分针也说。

"你们都重要，难道我就不重要吗？在这个家里不可能没有我。"秒针气呼呼地说。

它们三个各说各的理，谁也不退让，谁也不服谁，吵了半天也没有结果。最后，它们为了得到真正的平等，决定大家都变成一样的长度，一样

的颜色，一样的行走速度，才总算结束了这场争吵。

第二天，主人像往常一样，一起床就抬头看床头的闹钟，忍不住大叫起来："天哪，这是怎么回事啊？闹钟里的三根针怎么变成一模一样了呀？这还怎么分辨时间哪？"他又拿起闹钟仔细看了看："这闹钟怎么会变成这样呢？这下一点儿用处也没有了。"说完，把闹钟扔进了垃圾箱。

这个结果真是时针、分针和秒针都没有想到的。

寓言一点通

这个寓言告诉我们：平等，是理想的追求，但是真正的平等并不是外形一模一样，分工完全相同。如果为了平等，变得千人一面，那么就会带来许多麻烦。

hú li hé xiān hè
狐狸和仙鹤

狐狸和仙鹤交上了朋友。

一天，狐狸突然热情地邀请仙鹤到家里做客，并说自己特意准备了一些好吃的。仙鹤来到狐狸家里，才发现狐狸只是准备了一点儿碎米饭，而且还被平抹在一个平底的盘子里。狐狸端出装着碎米饭的盘子，装模作样地说：“快吃吧，亲爱的朋友，别客气，这可是我专门为你准备的。”

仙鹤试着用细细长长的嘴啄食盘子里的碎

米饭,可是啄啊啄,啄了半天什么也没吃到。狐狸却十分方便地用它的大舌头舔着碎米饭,不一会儿就全吃光了。这时,狐狸装作客气地说:"别见怪呀,我这里没有别的东西可以招待你啦。"就这样,仙鹤只好饿着肚子回去了。

第二天,狐狸到仙鹤家里做客。仙鹤就把做好的浓汤倒进细长的瓶子里,然后把瓶子放到桌上,对狐狸说:"朋友,请吃吧。这浓汤可是我亲手做的,你一定要好好尝一尝。"

狐狸闻到瓶子里浓汤的香味,忍不住流出口

shuǐ dàn tā zhǐ néng
水，但它只能

wéi zhe píng zi dǎ zhuàn
围着瓶子打转

zhuan zěn me yě hē
转，怎么也喝

bù dào píng zi li de
不到瓶子里的

nóng tāng ér xiān hè
浓汤。而仙鹤

yòng tā xì cháng de
用它细长的

zuǐ yī xià zi jiù hē
嘴，一下子就喝

dào píng zi li de nóng
到瓶子里的浓

tāng hē wán nóng tāng xiān hè yě zhuāng zuò kè qi de shuō duì bu qǐ
汤。喝完浓汤，仙鹤也装作客气地说："对不起，

dà gài shì wǒ zuò de nóng tāng bù hé nǐ de wèi kǒu ba
大概是我做的浓汤不合你的胃口吧！"

běn lái zhǔn bèi dà chī yī dùn de hú li ào sàng jí le zhǐ hǎo huī liū
本来准备大吃一顿的狐狸懊丧极了，只好灰溜

liū de pǎo huí jiā qù
溜地跑回家去。

cóng cǐ yǐ hòu hú li hé xiān hè jiù bù zài shì péng you le
从此以后，狐狸和仙鹤就不再是朋友了。

寓言一点通

这个寓言告诉我们：以其人之道，还治其人之身。一个对朋友不真诚、不友好的人，也不要希望别人会真心诚意地对待他。

hú li hé hóu zi
狐狸和猴子

hóu zi yóu yú wǔ tiào de tè bié bàng bèi dà jiā tuī xuǎn wéi sēn lín zhī
猴子由于舞跳得特别棒,被大家推选为森林之

wáng hóu zi yīn cǐ yáng yáng dé yì bǎ shéi dōu bù fàng zài yǎn li
王。猴子因此扬扬得意,把谁都不放在眼里。

hú li duì zhè jiàn shì tè bié bù mǎn jué de zuò wéi sēn lín zhī wáng yī
狐狸对这件事特别不满,觉得作为森林之王一

dìng yào yǒu yī gè cōng míng de nǎo dai cái xíng guāng huì tiào wǔ suàn bù liǎo
定要有一个聪明的脑袋才行,光会跳舞算不了

shén me suǒ yǐ tā zǒng zài xún zhǎo jī huì xiǎng hǎo hǎo jiào xùn yī xià zhè
什么。所以,它总在寻找机会,想好好教训一下这

ge huì tiào wǔ de dà wáng
个会跳舞的大王。

yǒu yī tiān hú li
有一天,狐狸

zài yī gè xiàn jǐng li fā
在一个陷阱里发

xiàn yī dà kuài ròu biàn
现一大块肉,便

xiǎng dào yòng zhè kuài ròu lái
想到用这块肉来

shì tan zhè zhī hóu dà wáng
试探这只猴大王

shì bù shì cōng míng
是不是聪明。

hú li mǎ shàng fēng fēng huǒ huǒ de pǎo dào hóu zi miàn qián gōng gōng
狐狸马上风风火火地跑到猴子面前,恭恭

jìng jìng de shuō dà wáng bào gào nín yī gè hǎo xiāo xi
敬敬地说:"大王,报告您一个好消息。"

猴子看到平常对自己很不以为然的狐狸变得如此恭敬，特别高兴，说道："快说吧，是什么好消息？"

狐狸神秘兮兮地说道："大王，我在不远处的山沟里发现一个宝贝。那宝贝真是谁见了都喜欢，但是我不敢占为己有，就跑来向您报告。请您先去看看，那宝贝应该是属于您的。"

听了狐狸的话，猴子心花怒放，马上跟着狐狸向山沟里走去。

快到陷阱前，狐狸突然站住不走了，恭敬地对猴子说："宝贝就在前面，大王您请上前。"

hóu zi yī xīn zhǐ
猴子一心只
xiǎng zhe hú li shuō de
想着狐狸说的
bǎo bèi huì shì shén me
宝贝会是什么
yàng de dōng xi biàn jí
样的东西，便急
zhe mài kāi dà bù xiàng
着迈开大步向
qián zǒu qù gēn běn méi
前走去，根本没
zhù yì yǒu wēi xiǎn cún
注意有危险存

zài kě shì méi zǒu liǎng bù jiù tīng dào dōng de yī shēng hóu zi diào jìn
在。可是没走两步，就听到"咚"的一声，猴子掉进
le xiàn jǐng li zhè xià hóu zi míng bai le zì jǐ shàng le hú li de dàng
了陷阱里。这下猴子明白了，自己上了狐狸的当。

hóu zi zài xiàn jǐng li dà shēng jiào zhe nǐ hái bù kuài bǎ wǒ lā shàng
猴子在陷阱里大声叫着："你还不快把我拉上
qù yào bù rán de huà dà wáng wǒ jiù duì nǐ bù kè qi le
去，要不然的话，大王我就对你不客气了！"

kě wú lùn hóu zi zěn me shēng qì fā huǒ hú li yī diǎnr yě bù
可无论猴子怎么生气发火，狐狸一点儿也不
hài pà tā xiào mī mī de shuō yī gè zhǐ huì tiào wǔ méi yǒu tóu nǎo de
害怕。它笑眯眯地说："一个只会跳舞、没有头脑的
dà shǎ guā shì bù pèi dāng sēn lín zhī wáng de ya
大傻瓜，是不配当森林之王的呀。"

寓言一点通

　　这个寓言告诉我们：一个人想要真正得到他
人的尊重和佩服，光有引人注目的外在表现是不
够的，最重要的还应该有一个善于思考的头脑。

wén zi hé shī zi
蚊子和狮子

yī zhī shī zi zài shù xià shuì jiào wén zi zǒng zài yī biān wēng wēng
一只狮子在树下睡觉，蚊子总在一边"嗡嗡

wēng de chǎo gè bù tíng shī zi hěn shēng qì shuō nǐ zhè ge xiǎo dōng
嗡"地吵个不停。狮子很生气，说："你这个小东

xi chǎo de wǒ shuì bù hǎo jiào xiǎo xīn wǒ chī le nǐ
西，吵得我睡不好觉，小心我吃了你。"

méi xiǎng dào de shì wén zi tīng
没想到的是，蚊子听

le shī zi de huà yī diǎnr yě bù
了狮子的话，一点儿也不

hài pà fǎn ér shén qì de shuō nǐ
害怕，反而神气地说："你

bié yǐ wéi zì jǐ yǒu shén me liǎo bu
别以为自己有什么了不

qǐ wǒ cái bù pà nǐ ne
起，我才不怕你呢！"

hái cóng méi yǒu shéi gǎn zài shī dà
还从没有谁敢在狮大

wáng miàn qián zhè me fàng sì ne yī zhī
王面前这么放肆呢，一只

xiǎo xiǎo de wén zi què shuō chū rú cǐ
小小的蚊子却说出如此

kuáng wàng de huà lái shī zi qì de yī
狂妄的话来，狮子气得一

gū lu cóng dì shang tiào qǐ lái shēn chū
骨碌从地上跳起来，伸出

zhuǎ zi qù zhuā wén zi kě shì wén zi
爪子去抓蚊子。可是蚊子

机灵得很，一下子飞到东，一下子飞到西。狮子被弄得晕头转向，累得直喘气，也没抓到蚊子。

狮子累坏了，就趴在地上休息。这时，蚊子又飞到狮子的头顶上，笑着说："我没说错吧，你不能把我怎么样。"狮子一听更生气了，举起爪子就去抓头顶上的蚊子，结果蚊子没抓到，却把自己的头皮抓破了。最后，狮子已经筋疲力尽了，脸上、身上到处都是自己留下的爪痕，蚊子却一点儿也没受伤。于是蚊子得意地说："怎么样，这回你服气了吧！你虽然高大威猛，却不是我的对手。"说完向远处飞去。

蚊子一边飞一边唱着歌："嗡嗡嗡，嗡嗡

wēng wǒ shì dà dà wáng sēn lín zhī wáng yě pà wǒ fēi zhe fēi zhe tiān
嗡，我是大大王，森林之王也怕我。"飞着飞着，天

jiàn jiàn àn le xià lái wén zi zhǐ gù gāo xìng de chàng zhe gē gēn běn méi yǒu
渐渐暗了下来，蚊子只顾高兴地唱着歌，根本没有

zhù yì kě néng chū xiàn de wēi xiǎn qíng kuàng
注意可能出现的危险情况。

 āi yā wén zi tū rán jiān jiào yī shēng tā gǎn dào zì jǐ zhuàng dào
"哎呀！"蚊子突然尖叫一声。它感到自己撞到

le shén me dōng xi yī xià zi bǎ tā láo láo zhān zhù zěn me yě dòng bù liǎo le
了什么东西，一下子把它牢牢粘住，怎么也动不了了。

yuán lái wén zi zhuàng dào le zhī zhū wǎng shang wú lùn tā zěn me yòng
原来蚊子撞到了蜘蛛网上，无论它怎么用

lì zhēng zhá dōu méi bàn fǎ bǎi tuō zuì hòu chéng le zhī zhū de wǎn cān
力挣扎，都没办法摆脱，最后成了蜘蛛的晚餐。

寓言一点通

这个寓言告诉我们：每个人都有自己的长处和优势，但不能因此而忘乎所以，让骄傲冲昏了头脑。故事中蚊子的可悲下场值得我们深思。

yīng hé yǎn shǔ
鹰和鼹鼠

yīng wáng hé yīng hòu yào zài lín zi li tiāo xuǎn yī kē zuì bàng de shù
鹰王和鹰后要在林子里挑选一棵最棒的树，
zhǔn bèi zài shàng miàn zhù cháo yǎng yù tā men de hòu dài tā men jīng xīn tiāo
准备在上面筑巢，养育它们的后代。它们精心挑
xuǎn le hěn jiǔ zhōng yú zhǎo dào yī kē shí fēn gāo dà jiē shi de xiàng shù
选了很久，终于找到一棵十分高大结实的橡树，
biàn zhǔn bèi dòng shǒu zhù cháo
便准备动手筑巢。

shù xià de yǎn shǔ tīng dào zhè ge xiāo xi shí fēn dān xīn tā zhuàng zhe
树下的鼹鼠听到这个消息，十分担心。它壮着
dǎn zi xiàng yīng wáng bào gào yīng wáng
胆子向鹰王报告："鹰王
a wǒ xiǎng xiàng nín tí gè xǐng zài
啊，我想向您提个醒。在
wǒ kàn lái zhè kē xiàng shù kě bù shì
我看来，这棵橡树可不是
ān quán de zhù suǒ yīn wèi tā de gēn
安全的住所，因为它的根
jǐ hū làn guāng le suí shí dōu yǒu dǎo
几乎烂光了，随时都有倒
diào de wēi xiǎn nǐ men zuì hǎo
掉的危险，你们最好
bié zài zhèr zhù cháo
别在这儿筑巢。"

kě shì yīng wáng gēn běn méi
可是鹰王根本没
bǎ yǎn shǔ de shàn yì fàng zài xīn
把鼹鼠的善意放在心

上，心想：你们这些躲在洞里的家伙，知道什么？

都胆小得不得了，就是一片树叶掉到头上，也会吓

个半死，还敢跑来干涉鸟大王的事情。

于是，鹰王继续按自己原先的计划动手筑

巢，并且当天就把家搬了进去。不久，鹰后孵出了

一窝可爱的小家伙。

一天，鹰王带着丰盛的食物飞回家时，发现

那棵橡树已经倒了，新筑的巢也摔在地上，鹰后

和小鹰们都摔死了。

鹰王悲痛不已，放声大哭起来："天哪，为什

么我当时没有接受鼹鼠的忠告呢？我真没想到，鼹鼠的警告会这么重要。"

鼹鼠在树下听到了，回答道："您想一想，我每天在地下打洞，和树根十分接近，树根是好是坏，还有谁会比我知道得更清楚呢？"

"是啊，我当初怎么就没有想到呢？"对鹰王来说，现在明白已经太晚了。

寓言一点通

这个寓言告诉我们：因为轻视别人而不愿听取别人的意见，往往会脱离实际做错事。就像故事中的鹰王，如果能听从鼹鼠的忠告，就不至于落得这样的下场。

乌龟上天

有一只乌龟在泥潭里待久了,开始厌倦那里的生活,想出去看看外面的世界。

有一天,乌龟把这个想法告诉了两只野鸭,希望野鸭能帮助它实现这个愿望。好心的野鸭非常愿意帮助它,但也没有合适的办法。

乌龟想了想,说:"我倒是有一个办法,只是不知道你们能不能做到。"

两只野鸭急着问："到底是什么办法，快说出来听听。"

乌龟说："办法是这样的——我们可以找一根结实的木棍，你们俩分别咬住木棍的一头，我用嘴咬住木棍的中间，当你们俩用力飞的时候，就会带着木棍还有我一起飞上天，我就可以离开这个讨厌的地方了。"

野鸭们觉得这个主意不错，但它们又想到一个问题，就提醒道："在飞行中，我们三个谁也不能张口说话。只要有一个张口说话，你就会掉下去没命的。"于是大家商量好谁也不说话，就按乌龟的主意做了。

结果，在两只野鸭的帮助下，乌龟真的被带上了天。

乌龟看到了宽广的世界，真是太奇妙了，而且，在天上的感觉让它快乐极了。这时，地上的人们正惊奇地望着天空议论着："多聪明的野鸭呀，竟然用这样的好办法带着乌龟一起飞呢。"

听到人们对野鸭的称赞，乌龟心里很不服气，就忍不住张口说话了："这是我的主意。"可是没等它把话说完，就从半空中掉了下去，在地上摔得粉身碎骨。

寓言一点通

这个寓言告诉我们：一个喜欢过分表现自己的人，总是想方设法引起别人的注意，却不知道有时候保持沉默也是十分必要的。故事中的乌龟为了向别人炫耀自己的聪明，结果把命给丢了。

dà shī zi hé xiǎo jiǎ chóng
大狮子和小甲虫

dà shī zi zǒng shì zì yǐ wéi shì　jué de zì jǐ shì zuì liǎo bu qǐ de
大狮子总是自以为是，觉得自己是最了不起的

dòng wù dà wáng　měi tiān dōu huì duì qí tā dòng wù zhǐ shǒu huà jiǎo　fā hào
动物大王，每天都会对其他动物指手画脚，发号

shī lìng
施令。

yī tiān　dà shī zi chuān shàng xiān yàn de lǐ fú　dài shàng bù mǎn zhēn
一天，大狮子穿上鲜艳的礼服，戴上布满珍

zhū de wáng guān　guà shàng wú shù jīn zhì de xūn zhāng　shén qì huó xiàn de zǒu
珠的王冠，挂上无数金质的勋章，神气活现地走

chū le wáng gōng
出了王宫。

一路上，动物们看到大狮子不是害怕得东躲西藏，就是恭恭敬敬地上前行礼。对此，大狮子总是傲慢地认为："我理所当然应该接受它们的敬畏。我是大王啊，谁都应该这样对待我。"

一只小甲虫在路边慢悠悠地散步，欣赏着美丽的风景，好像没看到狮大王经过。大狮子对此十分生气："大胆的家伙，看到大王为何不行礼？还不快跪下！"

小甲虫不慌不忙地说："因为我个子小，大王您看不清。如果您能挨近点儿看，或许就能看到我正向您跪着呢。"

大狮子听了，果真向下弯了弯身子，伸了伸脑袋，想仔细瞧瞧小甲虫到底有没有跪着。"可是我看到你没有跪着呀。"大狮子生气地说。

xiǎo jiǎ chóng yòu shuō   dà wáng   rú guǒ nín néng zài āi jìn diǎnr
小甲虫又说："大王，如果您能再挨近点儿，
jiù yī dìng néng kàn dào le   wǒ què shí xiàng nín guì zhe ne
就一定能看到了，我确实向您跪着呢。"

dà shī zi xìn yǐ wéi zhēn   yòu xiàng xià wān le wān shēn zi   shēn le
大狮子信以为真，又向下弯了弯身子，伸了
shēn nǎo dai   shéi zhī zhè yī lái   shēn shang de lǐ fú   tóu shang de wáng
伸脑袋。谁知这一来，身上的礼服、头上的王
guān   bó zi shang de jīn zhì xūn zhāng   quán dōu huā lā lā de chuí le xià
冠、脖子上的金质勋章，全都哗啦啦地垂了下
lái   dà shī zi gǎn dào tóu zhòng jiǎo qīng   shī qù le píng héng   suí zhe yī
来。大狮子感到头重脚轻，失去了平衡，随着一
shēng hǒu jiào   yī tóu zāi jìn lù biān de ní shuǐ gōu li   xiǎo jiǎ chóng chèn jī
声吼叫，一头栽进路边的泥水沟里，小甲虫趁机
fēi zǒu le
飞走了。

寓言一点通

　　这个寓言告诉我们：一个自以为十分强大、很
了不起的人，往往会目空一切，看不起任何比他弱
小的事物，但有时候也会栽倒在意想不到的地方。

谁的肚皮大
shéi de dù pí dà

青蛙爸爸带着小青蛙们在池塘边看风景。忽然，小青蛙们看见岸边一头大牛正在吃草，都惊讶地叫起来："哇，牛的肚皮真大呀！""是啊，我们从来没看到过肚皮那么大的动物。"

青蛙爸爸听了小青蛙们的话，不屑一顾地说："肚皮大有啥稀奇，我也有这么大的肚皮。"

青蛙爸爸一边说，一边使劲地鼓着肚皮，然后问孩子："你们看，是牛的肚皮大，还是我的肚皮大？"。

孩子们老老实实地回答："当然是牛的肚皮大，而且大好多呢！"

"没关系，你们再看好了。"

青蛙爸爸更加使劲地鼓着自己的肚皮，它希望孩子们能说自己的肚皮比牛的大。可是，小青蛙们还是如实地回答："爸爸，牛的肚皮比你的大好多呢。"

青蛙爸爸不服气，仍然使劲地让自己的肚皮变大，又问孩子们："现在是牛的肚皮大，还是我的肚皮大？"小青蛙们仍然齐声回答："还是牛的肚皮大！"

青蛙爸爸这下可急了，它使出浑身的力气，让自己的肚皮变得再大些，再大些。结果，只听到"啪"的一声，青蛙爸爸鼓破了肚皮。

寓言一点通

这个寓言告诉我们：凡事要量力而行，如果不顾实际情况，骄傲自大，盲目攀比，最终吃亏的还是自己。就像故事中的青蛙爸爸，盲目地和牛比肚皮的大小，结果丢了性命。

树叶和树根
shù yè hé shù gēn

有一棵大树长得枝繁叶茂，人们都喜欢在树荫下乘凉，并常常夸它："这棵树长得可真好，茂密的树叶带来了夏天的阴凉，也给我们的生活带来了更多的欢乐。"

听了这些话，树叶得意极了，就跟风自夸起来："你知道大树为什么会对人们有帮助吗？那还不是因为有了我们！如果没有我们，人们不可能到树下来乘凉，大树也不会这样受欢迎。"

风看到树叶骄傲的样子，不由得提醒道："也别忘了为你们输送养料的树根哪。

树根常年待在泥土里，很容易被人忘记，但对于一棵树来说，它的确非常重要哇。"

听了风的话，树叶不屑一顾地说："那躲在地下又老又丑的树根，也值得一提吗？"

听了树叶这样轻浮无礼的话，树根开口了："孩子啊，要知道到了一定的季节，你们就会落下来。这时就需要我给予生命的力量，让明年新的树叶再长出来。一旦我死了，不仅树叶，连整棵大树都不复存在了。"

听了树根的话，树叶开始安静下来，认真思考起树根所说的话的含义。

寓言一点通

这个寓言告诉我们：自高自大的人只看到自己的成绩，却往往忘记帮助自己的幕后英雄。故事中树叶的表现正说明了这一点。试想一下：如果没有树根，树叶还会存在吗？

shī zi hé lǎo shǔ
狮子和老鼠

一天,狮子发现自己洞穴旁边搬来一只小小的老鼠,和它成了邻居。狮子十分生气,向老鼠大叫着:"快滚开,你这个小东西!你怎么有资格跟大王做邻居呢?"

小老鼠看到狮子生气的样子很害怕,就战战兢兢地说:"虽然我长得小,不能和您比,但我也有自己的长处。说不定什么时候,我还可以为您效劳呢。"

狮子嘲笑道:"真是笑话,大王力大无比,还会需要你的帮助?快滚吧,滚得远远的,别让我再看到你!"

小老鼠没办法，只好搬了家，搬到很远的地方安家。

就在这一天，狮子外出散步时，一不小心落入了猎人的罗网。狮子使劲地挣扎，但它越挣扎，网就收得越紧，根本没法逃脱。狮子又试着用爪子抓，用牙齿咬，使出了浑身力气，直到筋疲力尽，也没能逃脱猎人的罗网。

这时，狮子忽然想起了小老鼠。如果小老鼠用尖牙对付罗网，一定没问题。它后悔极了："如果现在小老鼠在，它就会帮我咬破罗网，救我一命的。"可是这个想法来得太迟了。

寓言一点通

这个寓言告诉我们：尺有所短，寸有所长，谁都有自己的长处。但是故事中的狮子却不能体会这一点。它自以为强大无比，对弱小的老鼠不屑一顾，结果因此丧失了性命。

两尊狮子像
liǎng zūn shī zi xiàng

展厅里陈列着两尊狮子像,一尊是用青铜铸就的,一尊是用泡沫塑料做成的,但它们看起来却是一样的威武有气势。

一天,泡沫塑料做成的狮子瞧了一眼青铜狮子,说:"从外表上看,谁也分不出咱俩。"

青铜狮子说:"是啊!我们除了质地不同,其他看起来都差不多。"

泡沫塑料狮子想了想,说:"可是工匠铸你花了很多钱、很多时间、很多力气,雕刻我却轻松又方便。因此,从某种程度上说,我比你更好——经济实惠。"

青铜狮子听了，只是微微一笑，没有表示同意，也没有反驳泡沫塑料狮子的话。但它心里明白，它们谁更有价值。

这一年夏天，山洪暴发了，大水冲倒了展厅，冲走了展厅里的许多东西，包括那尊自以为是的泡沫塑料狮子。只有青铜狮子仍稳稳地蹲在原地，好像什么也没发生过一样，依然保持着原来的样子——威武有气势。

寓言一点通

　　这个寓言告诉我们：盲目地骄傲，往往会夸大自己的长处，而忘记自己的不足。一个人如果不能客观地评价自己，就无法正确地面对自己的不足，最终会走向失败，甚至走向灭亡。

谁更有能耐
shéi gèng yǒu néng nai

老虎威武凶猛，许多人见了都会害怕，老虎为此很得意。

一天，老虎遇到了马。它看见马正辛苦地为主人干活，就讥讽说："喂，兄弟，你跟我一样，也有四条腿、一口牙，可我能叫人害怕得四处逃跑，而你却成天干苦力。你呀，真是无能！"

马听了老虎的话，并没有感到羞愧，而是自豪地反驳道："是啊，我有一口牙和四条腿。虽然我的这口牙吃的是草，我的四条腿却能日行千里。人们都把我当成最勤劳、最忠实的朋友。这就是

wǒ de běn lǐng
我的本领。"

lǎo hǔ tīng le yī
老虎听了一

diǎnr yě bù míng bai
点儿也不明白。

tā shuō rén men bǎ nǐ dàng péng you
它说："人们把你当朋友，

wèi shén me hái jiào nǐ gàn nà me zhòng de huó ne
为什么还叫你干那么重的活呢？"

mǎ yáo yáo tóu shuō nǐ yǒng yuǎn yě bù huì míng
马摇摇头说："你永远也不会明

bai de nǐ zài ràng rén hài pà de tóng shí yě huì ràng rén yàn wù chóu hèn
白的。你在让人害怕的同时，也会让人厌恶、仇恨。

tā men suī rán pà nǐ dàn yě huì xiǎng bàn fǎ lái duì fu nǐ shāng hài nǐ
他们虽然怕你，但也会想办法来对付你、伤害你。"

lǎo hǔ dà xiào zhe shuō xiào hua wǒ lì dà wú bǐ shéi gǎn shāng hài
老虎大笑着说："笑话，我力大无比，谁敢伤害

wǒ zhèng shuō zhe liè rén jǔ zhe liè qiāng cháo zhè biān pǎo lái lǎo hǔ kàn
我。"正说着，猎人举着猎枪朝这边跑来。老虎看

dào liè rén shǒu shang de liè qiāng lián máng zhuǎn shēn méi mìng de táo pǎo le
到猎人手上的猎枪，连忙转身没命地逃跑了，

yīn wèi tā zhī dào liè qiāng de lì hai
因为它知道猎枪的厉害。

mǎ wàng zhe lǎo hǔ de bèi yǐng xīn xiǎng suī rán yǒu xǔ duō rén hài pà
马望着老虎的背影，心想：虽然有许多人害怕

nǐ dàn nǐ zuì zhōng yě huì hài pà bié rén
你，但你最终也会害怕别人。

寓言一点通

这个寓言告诉我们：把威风当成能耐，把使别人害怕当成自己的本领，这是多么可笑的想法。这样的人最终也无法过上快乐的生活。只有那些真诚待人，少索取、多奉献的人，才会受到欢迎。

jù shā hé shuǐ tǎ
巨鲨和水獭

大海涨潮时，一条巨大的鲨鱼被冲上了海滩。由于离开了水，鲨鱼在海滩上无法动弹。

这时，一群水獭正好经过海滩，看到巨大的鲨鱼被困在这里，感到非常奇怪："这么大的鲨鱼怎么也会被困住？它在水里可是勇猛无比的大力士啊！"大鲨鱼听了，紧闭着双眼不理睬它们。

一只好心的水獭说道："也许它是晕过去了，我们帮它一把吧。"其他水獭听了都表示同意。于是

shuǐ tǎ men wéi zài yī qǐ　　zhǔn bèi dòng shǒu jiāng zhè
水獭们围在一起，准备动手将这

tiáo bèi kùn de jù shā tuī dào hǎi li　　kě shì jù shā
条被困的巨鲨推到海里。可是巨鲨

bù dàn bù gǎn xiè tā men　fǎn ér méi hǎo qì de jù
不但不感谢它们，反而没好气地拒

jué dào　　wǒ lì dà wú bǐ　zhè diǎnr nán chù
绝道："我力大无比，这点儿难处

suàn shén me　yòng bù zháo nǐ men xiā cāo xīn
算什么？用不着你们瞎操心。"

shuǐ tǎ men jué de hěn méi qù　zhǐ hǎo zǒu kāi
水獭们觉得很没趣，只好走开

le　guò le hěn jiǔ　hǎo xīn de shuǐ tǎ men yòu lái
了。过了很久，好心的水獭们又来

dào jù shā de shēn biān　wèn dào　　rú guǒ nǐ yuàn
到巨鲨的身边，问道："如果你愿

yì　wǒ men huì jìn quán lì bāng nǐ huí dào dà hǎi
意，我们会尽全力帮你回到大海

li qù de　nà lǐ cái shì nǐ zhēn zhèng zhǎn shì zì jǐ cái néng de dì fang
里去的，那里才是你真正展示自己才能的地方。"

kě shì　jù shā hái shi gù zhi de huí dá　　wǒ nìng yuàn sǐ yě bù yuàn jiē
可是，巨鲨还是固执地回答："我宁愿死也不愿接

shòu nǐ men zhè xiē xiǎo dōng xi de bāng zhù
受你们这些小东西的帮助。"

shuǐ tǎ men wú nài de yáo yáo tóu　zǒu le　méi guò duō jiǔ　zhè tiáo jù
水獭们无奈地摇摇头，走了。没过多久，这条巨

dà de shā yú jiù bèi kùn sǐ zài hǎi tān shang le
大的鲨鱼就被困死在海滩上了。

寓言一点通

　　这个寓言告诉我们：高傲者往往忘乎所以，只看到自己的强大，而忘记了自己的实际情况，并为了维护自己高大的形象，不屑于接受他人善意的帮助，结果吃亏的还是自己。

爷爷和孙子

爷爷已经很老了：背驼了，腿迈不动了，眼睛看不清了，耳朵听不见了，牙齿也都掉光了。当他吃饭时，饭菜常常会从他的嘴边漏出来。儿子和媳妇就嫌弃他，不再让他上桌和大家一起吃饭。他们端了一碗饭给老人，碗里什么菜也没有，让他一个人在角落里吃。

老人端着碗的手在颤抖，一不小心，手滑了一下，碗掉在地上摔碎了。

媳妇于是破口大骂："你这个老不死的，是嫌我们给你的饭不好吃吗？竟然把碗

给砸了。"无论老人怎么解释，媳妇就是不听。最后，

媳妇找了一只又脏又旧的木碗给老人装饭，说：

"你就配用这只碗吃，也省得你打破了。"

老人接过碗，叹了口气，什么话也没说。此后，

老人就一直用破木碗装儿子和媳妇吃剩下的饭，

勉强填饱肚子。很多时候，他吃的饭都是变质的。

这一切都被小孙子看在眼里。

一天，儿子和媳妇带着小孙子去赶集。在集市

上，媳妇问小孙子："宝贝，你想买什么？妈妈一定

给你买。"小孙子东看看，西看看，忽然指着一堆十

分粗糙的木碗说：

"我要买两只碗。"

媳妇以为小孙子

要给爷爷买，就没

好气地说："不用

了，那老东西有一

只破木碗用就不

错了。"

xiǎo sūn zi yáo yáo tóu
小孙子摇摇头

shuō zhè wǎn bù shì gěi yé
说："这碗不是给爷

ye yòng de shì gěi nǐ men
爷用的，是给你们

liǎng gè yòng de xiǎo sūn zi
两个用的。"小孙子

yòu zhǐ zhe zì jǐ de bà ba
又指着自己的爸爸

mā ma shuō děng nǐ men lǎo
妈妈说："等你们老

le shén me dōu bù huì gàn de
了，什么都不会干的

shí hou wǒ yě yòng pò mù wǎn
时候，我也用破木碗

gěi nǐ men zhuāng fàn chī shěng de nǐ men bǎ wǎn dǎ pò
给你们装饭吃，省得你们把碗打破。"

ér zi hé xí fù tīng le nǐ kàn kàn wǒ wǒ kàn kàn nǐ jìng bào zhe
儿子和媳妇听了，你看看我，我看看你，竟抱着

xiǎo sūn zi kū le qǐ lái tā men wèi zì jǐ nà me duì dài lǎo rén ér gǎn dào
小孙子哭了起来，他们为自己那么对待老人而感到

xiū kuì huí dào jiā hòu tā men chóng xīn bǎ lǎo rén qǐng shàng fàn zhuō chī fàn
羞愧。回到家后，他们重新把老人请上饭桌吃饭，

bìng qiě měi tiān xì xīn de zhào gù tā
并且每天细心地照顾他。

寓言一点通

这个寓言告诉我们：每个人都应该孝敬长辈，因为尊敬他们就是尊敬自己，善待他们就是善待自己。父母是孩子言行的榜样，如果自己对长辈不尊重，也就不要指望自己的孩子今后会孝敬自己。所以每个人都应该从我做起，做个善良宽容、充满爱心的人。

shān zhěn wēn xí
扇枕温席

东汉时，有个孩子叫黄香，从小知书达理，而且特别孝顺父母。

黄香家里很穷，住的房子低矮、简陋，夏天又闷又热，蚊虫也很多。九岁那年，黄香的母亲去世了，家里的重担落在了父亲一个人身上。夏天到了，黄香看到父亲辛苦了一天，晚上还因为炎热和蚊虫叮咬而难以入睡，心里十分不安。他想：晚上父亲睡不好，白天还要到地里劳动，真是

太辛苦了。有什么办法可以让父亲睡得安稳一些呢？过了两天，细心的黄香终于想出了办法。

每晚临睡前，黄香就先到父亲的房间里，用扇子轻轻地扇，把枕席扇凉了，才请父亲入睡，并在一边轻轻地摇着扇子，为父亲驱赶蚊虫，让父亲能睡个安稳觉。

到了冬天，黄香家的房子四面透风，特别寒冷，小黄香又在想怎样让父亲睡得更舒服、暖和些。可黄香家里常常连烧饭的柴火也没有，更不要说有什么可以取暖的了。于是小黄香每晚都在父亲入睡前，就先早早地钻进父亲的被窝里，用自己的体温把冷冰冰的被窝焐暖了，然后才回到自己冷冰冰的床上睡觉。这样父亲睡在暖暖的被窝里就很舒服了。

黄香的父亲不忍心，就对黄香说："孩子，我能照顾自己，你只要把自己照顾好就行了。"黄香却说："我小的时候，不会吃饭，不会说话，都是你和母亲照顾我的。现在母亲不在了，我也长大了，能做事了，当然要照顾你，这是我应该做的。"

黄香孝敬父亲的事一传十，十传百，传到了皇帝那里。皇帝也被黄香的孝心感动了，于是专门下诏书嘉奖他。

寓言一点通

这个寓言告诉我们：孝敬父母是中华民族的传统美德。孝敬父母应该发自内心，从每一件小事做起。我们要学习黄香的善良和孝心，以更好的实际行动回报自己的父母。

lín sì qì yù
林四弃玉

zhàn guó shí　zhū hóu hùn zhàn　mín bù liáo shēng　lǎo bǎi xìng sì chù liú
战国时，诸侯混战，民不聊生。老百姓四处流

làng　dà lù shang nàn mín chéng qún
浪，大路上难民成群。

zài táo nàn de rén qún li　yǒu yī gè jiào lín sì de rén　jiān shang bēi
在逃难的人群里，有一个叫林四的人，肩上背

zhe yī gè bāo guǒ　bāo guǒ li zhuāng zhe jiā li zuì guì zhòng de bǎo wù　bèi
着一个包裹，包裹里装着家里最贵重的宝物，背

shang tuó zhe yī gè cái mǎn zhōu suì de yīng ér　tā hé zhòng duō de nàn mín yī
上驮着一个才满周岁的婴儿，他和众多的难民一

qǐ cōng cōng gǎn lù
起匆匆赶路。

一路上风吹日晒，也没有足够的食物。偶尔有一点儿吃的，林四总是细细咀嚼却不忍下咽，将它喂进年幼的孩子嘴里。这样几天下来，他已经筋疲力尽，走不动路了。

林四只好坐在路边，靠在一棵树上歇息。他的左边是那个装着贵重宝物的包裹，右边是一个劲儿哭喊着的孩子。林四想：越往前走，道路会越艰难，如果我身边带的东西多，会给行走带来很大的不方便，我得舍弃一些东西才对。他看了看身边的包裹，又看了看正在哭泣的孩子，然后果断地把包裹扔在路边，并自言自语地说："一切金银财宝都是身外之物，丢了也不可惜。"说着，背起孩子继续赶路。

坐在林四旁边的人好心地提醒他："喂，这是你的包裹吗？"林四回头答道："是的。包裹里有价值

qiān jīn de bǎo yù　dàn shì xiàn zài tā duì wǒ lái shuō háo wú yòng chù
千金的宝玉，但是现在它对我来说毫无用处。"

à　zhè me guì zhòng de dōng xi　rēng diào duō kě xī ya　nǐ bù
"啊，这么贵重的东西，扔掉多可惜呀！你不

rú bǎ bèi shang de hái zi rēng xià ba　táo nàn shí hái zi kě shì zuì dà de
如把背上的孩子扔下吧，逃难时孩子可是最大的

fù dān na　nà rén duì lín sì shuō
负担哪。"那人对林四说。

lín sì huí dá　bǎo yù suī rán zhí qián　dàn shì yǒu jià　ér hái zi
林四回答："宝玉虽然值钱，但是有价；而孩子

shì wǒ de qīn gǔ ròu　qíng yì wú jià　wǒ zěn me néng zuò yī gè yào qián bù
是我的亲骨肉，情义无价。我怎么能做一个要钱不

yào qíng yì de wú chǐ zhī tú ne　shuō wán　bēi zhe hái zi tóu yě bù huí de
要情义的无耻之徒呢？"说完，背着孩子头也不回地

zǒu le
走了。

寓言一点通

　　这个寓言告诉我们：古人说："君子喻于义，小人喻于利。"在金钱和情义面前，我们会选择什么呢？故事中的林四毫不犹豫地选择了情义，这是一种正直善良的抉择。

fàng lù tuán jù
放鹿团聚

鲁王打猎时捕获了一只小鹿。小鹿十分机灵可爱,鲁王很喜欢,就命令臣子秦西巴把小鹿带回宫养起来。

秦西巴赶小鹿回宫时,发现一路上总有一只母鹿紧随其后,并不时地发出悲伤的叫声,听了让人不由得想流眼泪。同时,小鹿也不停地回头张望,好像在期盼着什么。

秦西巴想:失去孩子的鹿妈妈一定很伤心,所以才发出这样悲伤的叫声。虽然鹿不会像人

一样说话，却有着和人一样真诚的母子亲情，我怎么忍心拆散这对母子呢？想到这里，秦西巴准备放了小鹿。但手下的人好意提醒他："大人，把小鹿带回宫，这可是鲁王的命令。如果你擅自把小鹿放了，可是违抗王命，这是万万使不得的呀。"秦西巴也知道这样做的危险结果，但他看到母鹿凄惨的眼神时，还是毅然把小鹿放了。

小鹿飞快地跑过去，依偎在母鹿身旁。母鹿亲昵地舔着小鹿，好像在安抚受惊的小鹿。

秦西巴回宫后，告诉鲁王自己不忍心伤害母鹿就把小鹿放了。鲁王十分恼怒，就把秦西巴赶出

le wáng gōng
了王宫。

hòu lái lǔ wáng de tài zǐ dào le dú shū de nián líng yī zhí zhǎo bù
后来，鲁王的太子到了读书的年龄，一直找不

dào hé shì de rén dāng lǎo shī zhè shí lǔ wáng tū rán xiǎng dào qín xī bā
到合适的人当老师。这时，鲁王突然想到秦西巴，

lì jí pài rén bǎ tā zhào huí gōng yǒu rén bù jiě de wèn dà wáng wèi
立即派人把他召回宫。有人不解地问："大王，为

shén me yào zhǎo qín xī bā ne lǔ wáng shuō cóng dāng nián tā fàng zǒu xiǎo
什么要找秦西巴呢？"鲁王说："从当年他放走小

lù de shì kě yǐ kàn chū tā shì yī gè shàn liáng de hǎo rén bǎ tài zǐ jiāo
鹿的事可以看出，他是一个善良的好人，把太子交

gěi tā wǒ jiù kě yǐ fàng xīn le
给他，我就可以放心了。"

寓言一点通

　　这个寓言告诉我们：与人为善，不能停留在嘴
上，要看行动。秦西巴能善待一只可怜的小鹿，也
一定能善待生活中的人和事。最终，他的善良得到
了鲁王的认可。

mù gōng shī mǎ
穆公失马

　　qín mù gōng dào wài dì xún yóu shí　chē zi zài lù shang huài le　dāng
　　秦穆公到外地巡游时，车子在路上坏了。当
tā tíng xià lái xiū lǐ chē zi shí　yǒu yī pǐ liè mǎ tū rán zhèng tuō jiāng shéng
他停下来修理车子时，有一匹烈马突然挣脱缰绳
pǎo zǒu le　qín mù gōng jǐn zhuī bù shě　yuè zhuī yuè yuǎn　yī zhí zhuī dào qí
跑走了。秦穆公紧追不舍，越追越远，一直追到岐
shān nán miàn　zhè shí　qín mù gōng kàn dào yī qún rén jù jí zài yī qǐ　shí
山南面。这时，秦穆公看到一群人聚集在一起，十
fēn rè nao　jiù zhǔn bèi shàng qián wèn wèn tā men yǒu méi yǒu kàn dào yī pǐ táo
分热闹，就准备上前问问他们有没有看到一匹逃
tuō de liè mǎ
脱的烈马。

　　dāng tā zǒu jìn shí　cái fā xiàn nà qún rén zǎi shā le tā de mǎ　bìng
　　当他走近时，才发现那群人宰杀了他的马，并

且已经开始煮着吃了。秦穆公虽然心里十分不忍，但还是忍住了不发怒。他叹了口气，想：既然马已经被宰杀了，也没有办法挽回了，吃了就吃了吧。只是他们吃的是一匹烈马，吃烈马的肉还是有讲究的。于是他走上前关切地说："你们知道吗，你们吃的可是烈马的肉。如果只吃烈马肉而不喝酒，是要伤身体的。我好担心它伤害你们的身体呀。"说完，就一个一个地为他们倒酒。当秦穆公准备离去时，有个人好意说道："先生，您也来一点儿吧。"秦穆公摇摇头说："不啦，那是我自己的马，我不忍心吃啊。"说着转身离去。分吃马肉的人得知事情的真相后，心里都特别不是滋味。

过了一年，秦穆公和晋惠公在某地打仗，晋军把秦穆公的战车团团围住了，要活捉秦穆公。

céng jīng chī guo qín mù gōng mǎ ròu de nà qún rén zhī dào le qíng kuàng　lì kè
曾经吃过秦穆公马肉的那群人知道了情况，立刻

dài zhe sān bǎi duō rén　tí dāo chí jiàn qián lái bǎo hù qín mù gōng
带着三百多人，提刀持剑前来保护秦穆公。

tā men zài qín mù gōng de chē xià tóng jìn jūn yù xuè fèn zhàn　shí fēn
他们在秦穆公的车下同晋军浴血奋战，十分

yīng yǒng　jié guǒ bù jǐn dǎ bài le jìn jūn　jiě jiù le qín mù gōng　hái shēng
英勇，结果不仅打败了晋军，解救了秦穆公，还生

qín le jìn huì gōng　qín mù gōng gǎn jǐ de duì tā men shuō　zhè cì zhēn
擒了晋惠公。秦穆公感激地对他们说："这次真

shì duō kuī le nǐ men　yào bù rán wǒ jiù xìng mìng nán bǎo le　nǎ lǐ
是多亏了你们，要不然我就性命难保了。""哪里，

shì xiān sheng de pǐn dé
是先生的品德

ràng wǒ men gǎn dòng
让我们感动。

wèi le nín　wǒ men sǐ
为了您，我们死

ér wú hàn　nà qún
而无憾。"那群

rén yì kǒu tóng shēng de
人异口同声地

shuō dào
说道。

寓言一点通

　　这个寓言告诉我们：为人宽厚善良，对人真诚
关爱，就会得到人们的帮助和爱戴。故事中秦穆公
的善良和宽容赢得了大家的信任，因而在他危难
之际，得到了大家的帮助。

nóng fū hé yīng
农夫和鹰

一只鹰不小心落入了猎人的捕鹰网里,这时正好有一个农夫从这里经过。他看到挣扎的鹰,觉得很可怜,就毫不犹豫地打开网口,把鹰给放了。

鹰从网里出来,抖了抖翅膀,猛地飞向空中。农夫看着鹰在空中飞翔的样子,是那么神气,便默默地为它祈祷:"愿你好运,再也不要落到危险的地方。"以后农夫再也没有想起鹰的事情。

有一天,农夫忙完农活靠在一堵墙边打瞌睡时,突然一只鹰从他头顶飞过,抢走了他头上的帽子。农夫飞快地追上去,想拿回自己的帽子。

农夫追了很久，眼看快要追上时，鹰突然把帽子丢了下来。农夫捡起帽子，拍了拍上面的尘土，生气地说："开什么玩笑，害得我腿都快跑断了。"

当农夫重新回到刚才休息的地方时，简直不敢相信自己的眼睛——那堵墙已经倒塌了。农夫这才明白，是鹰救了他。

看着鹰飞翔时神气的样子，农夫突然想起几年前曾经被他救过的那只鹰，于是他明白了：鹰正是用这样的方式，回报了自己对它的救命之恩。

寓言一点通

这个寓言告诉我们：一个乐于助人、与人为善的人，一定也会得到同样的回报。就像故事中的农夫，当他处于危难之际，一只鹰救了他，而这只鹰正是此前被农夫解救过的，它回报了农夫对它的救命之恩。

田子方赎老马

古时候，有个叫田子方的人，为人真诚、善良。有一天，他走在路上，看见一匹瘦弱的老马站在道旁，十分可怜，就上前打听："这马为什么看上去这么悲伤啊？"

牵马的人叹了口气说："这是我主人家养的一匹马，年轻的时候非常健壮，为主人干过很多力气活。可是现在马老了，再也不能干这些力气活了。"

田子方摸了摸马背说："是啊，看得出这是一匹好马。但马也和人一样，都有老的时候，现在它应该养老了。"

牵马的人说："可是，我的主人并不这

yàng xiǎng tā jué de mǎ
样 想 。他 觉 得 马
biàn lǎo biàn ruò le bù
变 老 、变 弱 了 ，不
néng zài shǐ yòng le yǎng
能 再 使 用 了 ，养
zhe yě shì làng fèi jiù jiào
着 也 是 浪 费 ，就 叫
wǒ qiān chū lái bǎ tā mài
我 牵 出 来 把 它 卖
le dàn shì shéi huì mǎi yī
了 。但 是 谁 会 买 一

pǐ bù huì gàn huó de lǎo mǎ ya chú fēi shā le tā chī tā de ròu le
匹 不 会 干 活 的 老 马 呀 ，除 非 杀 了 它 吃 它 的 肉 了 。"

tián zǐ fāng pāi le pāi mǎ bèi shuō mǎ ya nǐ de zhǔ rén bù yīng gāi
田 子 方 拍 了 拍 马 背 说 ："马 呀 ，你 的 主 人 不 应 该
a zài nǐ nián qīng de shí hou tān yòng nǐ de lì qi zài nǐ nián lǎo de shí
啊 ，在 你 年 轻 的 时 候 贪 用 你 的 力 气 ，在 你 年 老 的 时
hou jiù bǎ nǐ pāo qì zhè bù shì rén yì zhī rén gàn de shì a shuō zhe biàn
候 就 把 你 抛 弃 ，这 不 是 仁 义 之 人 干 的 事 啊 。"说 着 便
yòng wǔ pǐ bó mǎi xià le zhè pǐ lǎo mǎ bìng duì qiān mǎ de rén shuō wǒ
用 五 匹 帛 买 下 了 这 匹 老 马 ，并 对 牵 马 的 人 说 ："我
huì hǎo hǎo zhào gù tā de zhí dào tā lǎo sǐ
会 好 好 照 顾 它 的 ，直 到 它 老 死 。"

hòu lái tián zǐ fāng mǎi mǎ de gù shi yī chuán shí shí chuán bǎi dà
后 来 ，田 子 方 买 马 的 故 事 一 传 十 ，十 传 百 ，大
jiā dōu wèi tā de shàn xīn ér gǎn dòng
家 都 为 他 的 善 心 而 感 动 。

寓言一点通

这个寓言告诉我们：田子方买老马的事迹让
人感动。如果世间多一些田子方，那么世界就会多
一些美好，多一些温暖。

不欺负孩子的烈马

一匹黑色的骏马跑得非常快,能日行千里。但它也是一匹烈马,脾气非常暴躁。许多骑手都想征服它。当他们试着骑到它的背上,想用缰绳驾驭它时,都被它狠狠地摔到地上,最终没有一个骑手能驯服它。

有一天,这匹黑色的烈马在草地上吃草,一个小男孩走了过来。他看到这匹高大的黑马,特别喜欢,就冒冒失失地爬上黑马的脊背,骑在高高的

马背上。小男孩神气极了,他觉得自己像一个了不起的大将军,于是吆喝着烈马在草地上跑起来,然后高兴地招呼小伙伴们:"我会

qí mǎ la wǒ huì qí mǎ la　　nà pǐ hēi sè de liè mǎ bù dàn méi yǒu
骑马啦,我会骑马啦。"那匹黑色的烈马不但没有

shēng qì　fǎn ér hěn xiǎo xīn de tuó zhe xiǎo nán hái　shēng pà xià dào tā
生气,反而很小心地驮着小男孩,生怕吓到他。

yī tóu gōng niú kàn jiàn le　hěn qì fèn de duì liè mǎ shuō　nǐ kě
一头公牛看见了,很气愤地对烈马说:"你可

zhēn méi yòng　jìng rán ràng yī gè hái zi lái zhǐ huī zì jǐ　yào shi huàn le
真没用,竟然让一个孩子来指挥自己;要是换了

wǒ　kěn dìng bǎ tā shuāi gè bàn sǐ
我,肯定把他摔个半死。"

liè mǎ què huí dá　duì nà xiē xiǎng zhēng fú wǒ de rén lái shuō　wǒ
烈马却回答:"对那些想 征服我的人来说,我

huì yòng lì liàng lái duì fu tā men　dàn duì yī gè hái zi　wǒ bù huì zhè yàng
会用力量来对付他们;但对一个孩子,我不会这样

zuò　jiù suàn wǒ bǎ hái zi shuāi le　yě bù néng shuō míng wǒ yǒu lì liàng
做。就算我把孩子摔了,也不能说明我有力量,

gèng bù néng dài gěi wǒ róng yào wa
更不能带给我荣耀哇。"

寓言一点通

　　这个寓言告诉我们:一味炫耀自己的力量,并不是强者的表现。有时候,对弱者表现出同情和宽容,正是与人为善的美德。

tū tóu qí shì
秃头骑士

一个年轻的骑士，骑马技术一流，只可惜是个秃头，真是美中不足。

有一天，年轻的骑士戴着一头漂亮的假发和一顶崭新的帽子，骑上骏马和一群新认识的朋友去打猎。当他们正兴致勃勃的时候，突然一阵大风吹来，吹掉了骑士头上的帽子和假发。骑士光秃秃的脑袋立刻暴露在众人面前，样子十分滑稽。

大家见了都忍不住大笑起来："朋友，原来你戴了两顶'帽子'啊。"

"哦，两顶'帽子'都飞走了，你先追哪一顶呢？"有人笑着问他。

骑士连忙跑

去捡回了帽子和假发。他没有因为大家的嘲笑而生气，而是摸摸自己的脑袋，又指指假发，自我解嘲地说："这些假发本来就不是我的，所以它从我的头上飞走也是正常的。也许它是想寻找新主人呢。"然后，他把追到的帽子戴到头上，又说道："不过，这顶帽子是我自己的，我要戴上它。"就这样，他又和大家继续开心地打猎。

　　骑士并没有因为被人发现是个秃头而生气和自卑，反而显得豁达和宽容。他最后赢得了大家的尊重。

寓言一点通

　　这个寓言告诉我们：秃头骑士的豁达和宽容值得我们学习。面对同伴的取笑，他所做的首先是安慰自己，其次是宽容他人，所以才会带给自己更多的快乐。

sūn shū áo chú liǎng tóu shé
孙叔敖除两头蛇

yǒu yī tiān nián shào de sūn shū áo zài wū wài wán shuǎ hū rán kàn jiàn
有一天，年少的孙叔敖在屋外玩耍，忽然看见

páng biān de cǎo cóng li yǒu yī tiáo liǎng tóu shé shēn zhe liǎng gè nǎo dai hái
旁边的草丛里有一条两头蛇，伸着两个脑袋，还

tǔ zhe liǎng gēn hóng hóng de shé tou tā xīn lǐ shí fēn hài pà yīn wèi tīng rén
吐着两根红红的舌头。他心里十分害怕，因为听人

shuō liǎng tóu shé yǒu yāo shù shéi yào shi bù xìng kàn dào le tā bì sǐ wú
说两头蛇有妖术，谁要是不幸看到了它，必死无

yí sūn shū áo xiǎng wǒ zhēn shì tài bù xìng le zěn me zhèng qiǎo yù shàng
疑。孙叔敖想：我真是太不幸了，怎么正巧遇上

zhè zhǒng shé ne kàn lái wǒ shì huó bù liǎo le tā gāng xiǎng táo zǒu què yòu
这种蛇呢？看来我是活不了了。他刚想逃走，却又

想到：如果我放走这条两头蛇，以后还会有其他人遇到这条蛇，其他人也会死去的。不如让我试试能不能打死它。

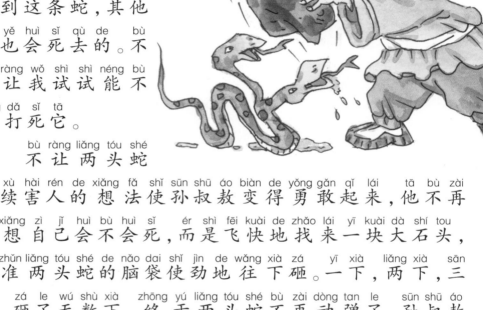

不让两头蛇继续害人的想法使孙叔敖变得勇敢起来，他不再去想自己会不会死，而是飞快地找来一块大石头，对准两头蛇的脑袋使劲地往下砸。一下，两下，三下，砸了无数下，终于两头蛇不再动弹了。孙叔敖这才跑回家，哭着对母亲说："我快要死了，因为我今天遇到了两头蛇。"

母亲安慰他："孩子，别害怕，你不是好好的吗？那只是一个传说，事实并非如此。"

孙叔敖这才停止哭泣，对母亲说："后来，我用大石头把两头蛇砸死了，可我的心里还是很害怕。"

母亲听了，奇怪地问："你一个人把两头蛇砸死了？你那时是怎么想的？"

孙叔敖说："我那时候忘记害怕了。我只是怕别人也会遇到两头蛇而死去，所以就一心想把它砸死。"

母亲高兴地说："好孩子，你在危难时还想着帮助更多的人，是个品德高尚的人！"

果然，孙叔敖长大后，成了一个老百姓爱戴的好官。

寓言一点通

这个寓言告诉我们："看见两头蛇就会死"，这是一种迷信的说法。故事中，孙叔敖在以为自己会死去的情况下，还想到不让更多的人受伤害，他的这种以助人、救人为己任的品德，不仅有善良，还有勇敢，值得我们学习。

láng hé gǒu
狼和狗

yī zhī gǒu zài nóng shè qián shuì de zhèng xiāng　tū rán pǎo lái yī zhī
一只狗在农舍前睡得正香，突然跑来一只

láng　zhāng dà zuǐ ba yào chī tā　gǒu cóng shuì mèng zhōng jīng xǐng　lián máng jiào
狼，张大嘴巴要吃它。狗从睡梦中惊醒，连忙叫

qǐ lái　āi yā　nǐ xiàn zài chī le wǒ zhēn shì tài kě xī le　nǐ kàn wǒ
起来："哎呀，你现在吃了我真是太可惜了。你看我

shòu chéng zhè ge yàng zi　zhǐ shèng xià yī bǎ gǔ tou　méi shén me hǎo chī
瘦成这个样子，只剩下一把骨头，没什么好吃

de　rú guǒ nǐ yǒu nài xīn　jiù zài děng sān tiān ba
的。如果你有耐心，就再等三天吧。"

láng bù yǐ wéi rán de shuō　děng sān tiān yòu néng zěn me yàng
狼不以为然地说："等三天又能怎么样？"

gǒu xiào zhe shuō　nǐ
狗笑着说："你

zhēn de bù zhī dào ma　zài
真的不知道吗？再

guò sān tiān wǒ jiā zhǔ rén jiù
过三天我家主人就

yào bǎi xǐ yàn le　nà shí
要摆喜宴了，那时

jī yā yú ròu duō de bù dé
鸡鸭鱼肉多得不得

liǎo　wǒ jiù kě yǐ dà chī
了，我就可以大吃

dà hē　bǎ zì jǐ yǎng de
大喝，把自己养得

pàng pàng de　dào nà ge shí
胖胖的。到那个时

候，你再吃我不是更好吗？"狗好像一心只为狼在

打算。

狼听了觉得有道理，就答应道："那好吧，我今天就不吃你了。不过我们说好，三天以后，你还在这里等我。你一定要把自己养得胖胖的，等着我来吃你。"

狗老老实实地说："好的，我一定等你。"

狼信以为真，就把狗放了，满心欢喜地回家去。

三天后，狼真的准时来到农舍前。可是它左等右等，也没见到狗的影子。正在它生气的时候，忽然听到头顶上传来一个声音："喂，伙计，我在上面呢。"狼抬头一看，只见狗正在农舍顶

shàng gāo gāo de zhàn zhe
上高高地站着，

yàng zi hěn jīng shen dàn shì
样子很精神，但是

bìng méi yǒu zhǎng pàng hái
并没有长胖，还

shì yuán lái nà fù yàng zi
是原来那副样子。

láng shī wàng de shuō
狼失望地说：

dōu guò le sān tiān le
"都过了三天了，

nǐ zěn me yī diǎnr yě
你怎么一点儿也

méi zhǎng pàng a
没长胖啊？"

shì a wǒ kě bù néng ràng zì jǐ tài pàng gǒu xiào zhe shuō
"是啊，我可不能让自己太胖。"狗笑着说，

yào shi tài pàng le wǒ jiù tiào bù shàng wū dǐng le nà yàng hěn róng yì bèi
"要是太胖了，我就跳不上屋顶了，那样很容易被

nǐ zhuā zhù de shuō wán hā hā dà xiào qǐ lái
你抓住的。"说完哈哈大笑起来。

láng tiào bù shàng wū dǐng dāng rán yě bié xiǎng chī dào gǒu ròu láng zhī
狼跳不上屋顶，当然也别想吃到狗肉。狼知

dào zì jǐ shàng dàng le qì de yǎo yá qiè chǐ kě yòu yǒu shén me bàn fǎ
道自己上当了，气得咬牙切齿，可又有什么办法

ne
呢？

寓言一点通

　　这个寓言告诉我们：聪明的狗运用自己的智慧解救了自己。贪心的狼只是站在自己的角度考虑问题，希望得到更多，因而上了狗的当，最终什么也没得到。

lǎo shǔ kāi huì
老鼠开会

屋子里住着一群老鼠，它们有吃有喝，过着快乐的生活。可自从屋子里来了一只猫后，老鼠们的生活就没有安宁过，每天都会有同伴落入猫的口中。从此，老鼠们每天都提心吊胆地过日子，一听到屋子里有动静，就吓得不敢出声，整天躲在洞里不敢出去。

有一天，猫被主人带到外面去晒太阳。利用这个机会，老鼠们在角落里召开了一个集体会议，共同商讨如何对付这只可恶的猫。

会议由一只足智多谋的大老鼠主持。它对

dà jiā shuō　　huǒ bàn men　　wǒ men bì xū jǐn kuài xiǎng yī gè bàn fǎ lái duì
大家说:"伙伴们,我们必须尽快想一个办法来对

fu māo　yào bù　　wǒ men bié xiǎng guò hǎo rì zi
付猫,要不,我们别想过好日子。"

　　　　shì a　　kě shì néng yǒu shén me bàn fǎ ne　　māo de gè tóur　　nà
　　"是啊,可是能有什么办法呢?猫的个头儿那

me dà　　tā de yá chǐ nà me jiān　　zhuǎ zi nà me fēng lì　　wǒ men bù shì tā
么大,它的牙齿那么尖,爪子那么锋利,我们不是它

de duì shǒu wa　　lǎo shǔ men xiǎng bù chū hǎo bàn fǎ　　zhǐ hǎo duì nà zhī dà
的对手哇。"老鼠们想不出好办法,只好对那只大

lǎo shǔ shuō　　nǐ shì wǒ men zhōng jiān zuì cōng míng de lǎo shǔ　　nǐ yī dìng huì
老鼠说:"你是我们中间最聪明的老鼠,你一定会

yǒu hǎo bàn fǎ de
有好办法的。"

　　　　dà lǎo shǔ chén sī le yī huìr　　shuō　　bàn fǎ dào shì yǒu yī gè
　　大老鼠沉思了一会儿,说:"办法倒是有一个,

zhǐ shì
只是……"

　　　　lǎo shǔ men pò bù jí dài de wèn　　shén me bàn
　　老鼠们迫不及待地问:"什么办

fǎ　nǐ kuài shuō ya
法,你快说呀。"

　　　　dà lǎo shǔ yā dī shēng yīn shuō　　wǒ men kě
　　大老鼠压低声音说:"我们可

以找一个铃铛，轻轻地挂到猫的脖子上，这样它来进攻的时候，铃声就会响起来，我们就知道有危险了，可以赶快钻进洞里。"大老鼠说完，看着大家问："你们说，这个主意怎么样啊？"

大老鼠的主意让老鼠们振奋起来，大家都认为这是一个了不起的好主意。可是一只小老鼠提出一个新问题："谁去给猫挂上铃铛呢？"

这时候大家都犯难了，因为这样做太危险了，谁也不敢去。每只老鼠都说出足够的理由不能去。最后，这个好主意还是落空了。

寓言一点通

　　这个寓言告诉我们：一个好的主意必须具有可操作性，否则就不可能实现，就没有任何价值。另外，像故事中的老鼠那样光说不做，一切主意也都是无用的。

chí táng li de qīng wā
池塘里的青蛙

池塘里住着两只青蛙，过着无忧无虑的生活。

有一年夏天，天气特别炎热，池塘里的水越来越少，两只青蛙不由得担心起来。它们决定离开这里，去寻找更适合的住处。

两只青蛙顶着烈日上路了。一路走着，它们看到的都是干涸的池塘和干裂的大地。正当它们对寻找新家园失去信心的时候，突然一只青蛙兴

奋地大叫起来:"快看哪,前面有一口井。"它们立刻飞快地向井边跑去。

两只本来已经没有力气的青蛙,发现井之后突然都有了力量。它们迫不及待地跳到井边往下看,在井里看到了自己的倒影。

"太好了,我看到自己的倒影了。"一只青蛙兴奋地叫着。

"对,这说明井底有水。"另一只青蛙应和道。

两只青蛙一看到水,别提有多高兴了。

"我们终于找到一个有水的地方了。这就是我们苦苦寻找的好住处哇,让我们一起跳下去吧。"一只青蛙激动地叫着。

这时,另一只青蛙冷静地提醒道:"先别跳,让我再仔细想一想。"

"还想什么呀,难道你想在烈日下晒死吗?"

"不!我在

xiǎng tiào xià qù shì
想，跳下去是
jiàn hěn róng yì de shì
件很容易的事
qing kě shì yào shàng
情，可是要上
lái jiù tài nán le rú
来就太难了。如
guǒ yǒu yī tiān jǐng dǐ
果有一天井底
de shuǐ yě gān le wǒ
的水也干了，我
men yòu méi yǒu bàn fǎ
们又没有办法
shàng lái shí wǒ men
上来时，我们
zhēn de zhǐ yǒu zài jǐng
真的只有在井
dǐ děng sǐ le
底等死了。"

zhè huà yǐn qǐ le tóng bàn de sī kǎo shì a wǒ men hái děi xiǎng
这话引起了同伴的思考："是啊，我们还得想
bàn fǎ zài qù xún zhǎo gèng shì hé wǒ men de zhù chù
办法再去寻找更适合我们的住处。"

tā men zài kàn le yī yǎn jǐng dǐ de shuǐ zhī hòu jì xù xiàng qián xún
它们在看了一眼井底的水之后，继续向前寻
zhǎo xīn jiā yuán
找新家园。

寓言一点通

　　这个寓言告诉我们：无论做什么事，我们在作决定之前，都不能只顾眼前的利益，而应该考虑得长远些。这样作出的决定才会更正确。

hú li hé shān yáng
狐狸和山羊

yī zhī hú li bù xiǎo xīn diào jìn yī kǒu jǐng li　yòng le xǔ duō bàn fǎ
一只狐狸不小心掉进一口井里，用了许多办法

dōu méi néng cóng jǐng li chū qù
都没能从井里出去。

hū rán　hú li tīng dào jǐng biān
忽然，狐狸听到井边

yǒu jiǎo bù shēng　xīn xiǎng　bù guǎn lái
有脚步声，心想：不管来

de shì shéi　yào shi néng bǎ tā piàn xià
的是谁，要是能把它骗下

lái　wǒ jiù yǒu bàn fǎ shàng qù le
来，我就有办法上去了。

yú shì　tā gǎn jǐn chàng qǐ gē lái
于是，它赶紧唱起歌来：

jǐng dǐ shì gè hǎo dì fang　shuǐ a yòu
"井底是个好地方，水啊又

liáng yòu jiě kě
凉又解渴……"

yī zhī shān yáng tīng dào gē shēng
一只山羊听到歌声，

lái dào jǐng biān　tā hào qí de tàn zhe
来到井边。它好奇地探着

nǎo dai wèn dào　wèi　nǐ zài jǐng dǐ
脑袋问道："喂，你在井底

gàn shén me ya
干什么呀？"

hú li tīng dào shān yáng de wèn
狐狸听到山羊的问

话，就装出开心的样子说："上面那么热，井底
这么凉快，还有水喝，多好哇。我待在这里太舒服
了，都不想上去了，难道你不想下来吗？"

山羊正觉得口渴，听到狐狸这么一说，就不
假思索地跳了下去。

井底果真有水，山羊就大口地喝着水。它喝完
水后才想起一个问题，于是紧张地问道："我们该
怎么上去呢？"

狐狸说："只要我们两个合作就
有办法。你可以用前蹄扒在井
壁上，尽量抬高你的犄
角，我爬上你的
后背，然后跳到
井外。我到了井
外后，再想办法
找绳子把你拉
上去。"

山羊点点

头说:"行,只要能上去,叫我做什么都行。不过等你上去了,千万别把我忘记了。"

狐狸认真地说:"那怎么可能呢。"

于是,狐狸依靠山羊的帮助,很快从井里出来了。但狐狸根本没打算把山羊拉上去,它对着井底的山羊说道:"哈,这是我想出来的办法。你要上来,也请你自己想个办法吧。"

井底的山羊好后悔呀!自己下来的时候,怎么就没好好想一想怎么上去的问题呢?

寓言一点通

这个寓言告诉我们:每个人决定做一件事情之前,都应该仔细想一想这件事情有可能产生的多种结果,以及如何应对这些结果。只有这样才不至于落入和寓言中山羊一样的困境。

乌鸦和狐狸
wū yā hé hú li

一只乌鸦衔着一块肉飞到树上，准备美美地饱餐一顿，正好被路过的狐狸看到了。狐狸肚子正饿着，就动起脑子想把乌鸦嘴里的肉弄到手。

狐狸站在树下，望着乌鸦细声细气地叫道："亲爱的乌鸦，见到您真好。您是鸟国里最了不起的鸟，因为您有一身乌黑的羽毛，就像夜晚的天空一样美，没有谁能和您比。"狐狸一边说，一边偷偷地观察乌鸦的神情。它看到乌鸦脸上半信半疑的表情，继续往下说道："亲

ài de wū yā　nín hái yǒu yī gè zuì dà de yōu diǎn　jiù shì zhù zhòng yí
爱的乌鸦，您还有一个最大的优点，就是注重仪

biǎo　duān zhuāng dà fang　zhè diǎn gèng shì méi yǒu shéi néng hé nín xiāng bǐ
表，端庄大方，这点更是没有谁能和您相比。"

shuō dào zhè lǐ　hú li kàn dào wū yā de liǎn shang lù chū le wēi xiào
说到这里，狐狸看到乌鸦的脸上露出了微笑，

gèng yǒu le xìn xīn　zhǐ jiàn tā yǎn zhū yī zhuàn　jì xù wǎng xià shuō dào
更有了信心。只见它眼珠一转，继续往下说道：

nín de zhì huì yě shì rén rén jiē zhī de　méi yǒu shéi néng hé nín xiāng bǐ
"您的智慧也是人人皆知的，没有谁能和您相比。"

zhè shí　wū yā bǎ tóu gāo gāo tái qǐ　yī fù yáng yáng dé yì de yàng zi
这时，乌鸦把头高高抬起，一副扬扬得意的样子。

hū rán　hú li huà tí yī zhuǎn　yòng yī zhǒng tè bié yí hàn de shén
忽然，狐狸话题一转，用一种特别遗憾的神

qíng shuō dào　bù guò　yǒu yī diǎn bù néng ràng rén xìn fú　dà jiā dōu shuō
情说道："不过，有一点不能让人信服，大家都说

cóng lái méi tīng guo nín chàng gē　yǒu rén shuō shì yīn wèi nín de shēng yīn tài nán
从来没听过您唱歌。有人说是因为您的声音太难

tīng　suǒ yǐ nín bù gǎn chàng　shuō
听，所以您不敢唱。"说

dào zhè lǐ　hú li kàn dào
到这里，狐狸看到

wū yā de liǎn shang shī qù
乌鸦的脸上失去

le xiào róng
了笑容。

hú li jiē zhe shuō
狐狸接着说：

bù guò wǒ cóng lái bù
"不过我从来不

xiāng xìn tā men de guǐ huà
相信它们的鬼话。

wǒ xiǎng nín shì nà me de
我想您是那么的

yōu xiù　sǎng yīn yī dìng yě
优秀，嗓音一定也

bù cuò rú guǒ nín néng wèi dà jiā zhǎn
不错。如果您能为大家展

shì yī xià nín de gē hóu xiāng xìn méi yǒu
示一下您的歌喉，相信没有

shéi huì bù fú nín
谁会不服您。"

yào bù nín xiàn zài jiù
"要不您现在就

chàng yī gè ba zuì hòu hú li
唱一个吧。"最后狐狸

duì wū yā shuō
对乌鸦说。

wū yā xìn
乌鸦信

le hú li de guǐ
了狐狸的鬼

huà zhēn de zhāng
话，真的张

dà zuǐ ba chàng le qǐ lái guā guā guā tā de zuǐ ba gāng zhāng
大嘴巴唱了起来："呱呱呱——"它的嘴巴刚张

kāi ròu jiù diào le xià lái zhèng hǎo luò zài hú li de jiǎo biān hú li fēi
开，肉就掉了下来，正好落在狐狸的脚边。狐狸飞

kuài de jiǎn qǐ dì shang de ròu shuō nǐ de gē hóu dí què bù cuò zhǐ shì
快地捡起地上的肉，说："你的歌喉的确不错，只是

nǐ de nǎo zi shí zài tài bèn shuō wán diāo zhe ròu pǎo yuǎn le
你的脑子实在太笨。"说完叼着肉跑远了。

寓言一点通

　　这个寓言告诉我们：听了别人过分吹嘘夸奖的话后，一定要保持冷静，并能客观地分析实际情况。如果像故事中的乌鸦那样，不加分析就得意忘形，就很容易上当受骗。

shī zi hé hú li
狮子和狐狸

yǒu yī zhī nián jì hěn dà de shī zi bù néng zài xiàng nián qīng shí nà
有一只年纪很大的狮子，不能再像年轻时那

yàng chí chěng zài cǎo yuán shang bǔ zhuō gè zhǒng liè wù le wèi le shēng cún
样驰骋在草原上捕捉各种猎物了。为了生存，

tā xiǎng chū le yī gè zhǔ yi
它想出了一个主意。

shī zi jiào lái zì jǐ de péng you lǎo láng ràng tā dào dòng wù men zhōng
狮子叫来自己的朋友老狼，让它到动物们中

jiān chuán bō yī gè xiāo xi shuō shī zi zuì jìn shēn tǐ yǒu xiē bù shū fu zài
间传播一个消息，说狮子最近身体有些不舒服，在

dòng li xiū xi ràng dà jiā lái kàn wàng tā
洞里休息，让大家来看望它。

zhè ge zhǔ yi zhēn bù cuò dāng lǎo láng bǎ xiāo xi yī chuán bō sēn
这个主意真不错！当老狼把消息一传播，森

lín li de xǔ duō dòng wù yīn
林里的许多动物因

wèi hài pà shī zi dōu dài zhe
为害怕狮子，都带着

chī de qù kàn wàng shī zi jié
吃的去看望狮子，结

guǒ tā men dōu méi néng cóng shī
果它们都没能从狮

zi dòng li chū lái
子洞里出来。

yī tiān shī zi bān zhe
一天，狮子扳着

shǒu zhǐ zài suàn hái yǒu shén me
手指在算还有什么

dòng wù méi lái kàn wàng tā shí
动物没来看望它时，

hū rán xiǎng qǐ le hú li   zhè
忽然想起了狐狸："这

ge jiā huo dǎn zi dào bù xiǎo
个家伙胆子倒不小，

jìng gǎn bù lái kàn wǒ   yú
竟敢不来看我。"于

shì liáng máng jiào lái lǎo láng
是连忙叫来老狼，

fēn fù dào   nǐ kuài bǎ hú li
吩咐道："你快把狐狸

gěi wǒ jiào lái
给我叫来。"

lǎo láng zài sēn lín shēn chù zhǎo dào hú li   duì tā shuō   hú li ya
老狼在森林深处找到狐狸，对它说："狐狸呀，

nǐ zǒng gāi tīng shuō shī dà wáng shēng bìng de shì qing le ba
你总该听说狮大王生病的事情了吧。"

hú li kàn le tā yī yǎn   shuō   shì a   zěn me le
狐狸看了它一眼，说："是啊，怎么了？"

nà nǐ zěn me yě bù qù kàn wàng tā yī xià   tā kě shì dòng wù dà
"那你怎么也不去看望它一下，它可是动物大

wáng a   lǎo láng shuō   nǐ jiù bù pà tā shēng qì bǎ nǐ chī le
王啊。"老狼说，"你就不怕它生气把你吃了？"

hú li wéi nán de shuō   wǒ shì xiǎng qù kàn kàn tā   kě shì wǒ hái
狐狸为难地说："我是想去看看它，可是我还

méi zhǔn bèi hǎo dài shén me dōng xi qù wa
没准备好带什么东西去哇。"

lǎo láng mǎ shàng xiào zhe shuō   bù yòng dài dōng xi   nǐ de xīn yì dào
老狼马上笑着说："不用带东西，你的心意到

jiù hǎo le
就好了。"

hú li jiù zhè yàng gēn zhe lǎo láng lái dào shī zi dòng kǒu   shī zi zài
狐狸就这样跟着老狼来到狮子洞口。狮子在

lǐ miàn tīng dào shēng yīn   jiù jiào dào   hú li ya   kuài jìn lái ba
里面听到声音，就叫道："狐狸呀，快进来吧。"

hú li méi yǒu
狐狸没有
huí dá zhǐ shì dī
回答，只是低
zhe tóu zài dì shang
着头在地上
zǐ xì de kàn rán
仔细地看，然
hòu duì zhe lǐ miàn dà
后对着里面大
shēng shuō dào wǒ
声说道："我
bù néng jìn lái le yīn wèi wǒ
不能进来了。因为我
kàn dào xǔ duō jiǎo yìn yǒu tù zi
看到许多脚印，有兔子
de jiǎo yìn hóu zi de jiǎo yìn shān māo de jiǎo yìn qí guài de shì zhǐ yǒu
的脚印、猴子的脚印、山猫的脚印，奇怪的是只有
jìn qù de jiǎo yìn què méi yǒu chū lái de jiǎo yìn suǒ yǐ wǒ hái shi bù jìn
进去的脚印，却没有出来的脚印，所以我还是不进
qù de hǎo shuō zhe yáng cháng ér qù
去的好。"说着扬长而去。

cóng cǐ yǐ hòu zài yě méi yǒu dòng wù jìn shī zi dòng qù kàn wàng shī
从此以后，再也没有动物进狮子洞去看望狮
zi le
子了。

寓言一点通

　　这个寓言告诉我们：那些经常做坏事的人，总会留下蛛丝马迹。我们只要善于细致观察和分析，就一定能发现问题，了解事实真相，这样才不会上当受骗。

shī zi hé nóng fū
狮子和农夫

一只狮子异想天开，想娶农夫的女儿做妻子。

农夫当然不会答应这门亲事，他可不愿意自己的女儿成了狮子口中的食物。但他又害怕狮子的威力，于是回答："不是我不答应，只是我的女儿一见到你的样子就害怕。"

狮子听了哈哈大笑："我不吃她就是了，怕什么！"

"可是，你一张嘴就露出了尖尖的牙齿，还有

你的爪子这么尖利，一不小心就会伤到她。"农夫一副担心的样子。

"这——"狮子觉得农夫说的也不是没有道理，"那怎么办呢？我生来就是这副样子。"

农夫说："我倒是有个主意，不知道你肯不肯接受？"

狮子忙问什么主意。

农夫说："只要你把牙齿拔了，把爪子剁了，我的女儿见到你就不会害怕了。"

狮子为了娶到农夫的女儿，就按农夫说的做了，把自己的牙齿拔了，把自己的爪子剁了。

失去了牙齿和爪子的狮子，再次来到农夫的家门前，农夫却拿起棍子来赶它："你这个可恶的家伙，我怎么可能把女儿嫁给你呢？"

　　　　　　kě dāng chū nǐ shì dā ying wǒ de　　shī zi qì de bù dé liǎo
"可当初你是答应我的。"狮子气得不得了。

　　　　nóng fū zhōng yú shuō chū le xīn lǐ huà　　nà shì yīn wèi wǒ hài pà nǐ
农夫终于说出了心里话:"那是因为我害怕你
de yá chǐ hé zhuǎ zi　xiàn zài zhè liǎng yàng dōng xi nǐ quán méi le　wǒ jiù
的牙齿和爪子,现在这两样东西你全没了,我就
yòng bù zháo pà nǐ le
用不着怕你了。"

　　　　shī zi zǒng suàn nòng míng bai shì zěn me huí shì le　shī qù yá chǐ hé
狮子总算弄明白是怎么回事了:失去牙齿和
zhuǎ zi　shéi yě bù pà tā le
爪子,谁也不怕它了。

寓言一点通

　　这个寓言告诉我们:当一个人不能很好地分析自己的情况,只是简单地听人摆布,结果只会把自己的优势给丢了,最后什么都得不到。

#
guó wáng hé hóu zi
国王和猴子

　　国王养了一只猴子做宠物，并对这只猴子十分信任和喜爱，走到哪里都让它跟着，甚至把自己护身的宝剑也交给它保管。

　　春天来临的时候，国王带着王后和猴子一起来到花园里游玩。成群结队的蜜蜂在花园里飞舞着。国王被这里的美景迷住了，于是想在花园里多留一阵子。他叫王后和所有的侍从都退下，只留下猴子给自己做伴。

guó wáng zài huā
国王在花
yuán li yóu wán le yī
园里游玩了一
huìr hòu jué de yǒu
会儿后，觉得有
diǎnr pí juàn jiù duì
点儿疲倦，就对
hóu zi shuō wǒ xiǎng
猴子说："我想
zài huā yuán li shuì yī
在花园里睡一
huìr rú guǒ yǒu shén
会儿，如果有什

me rén yào shāng hài wǒ nǐ yào jié jìn quán lì bǎo hù wǒ nǐ kě yǐ yòng
么人要伤害我，你要竭尽全力保护我。你可以用
zhè bǎ bǎo jiàn cì shā tā míng bai ma shuō zhe guó wáng bǎ shǒu li de
这把宝剑刺杀他，明白吗？"说着，国王把手里的
bǎo jiàn jiāo dào hóu zi shǒu li rán hòu fàng xīn de shuì zháo le
宝剑交到猴子手里，然后放心地睡着了。

hóu zi hěn tīng huà ān jìng de shǒu zài guó wáng shēn biān yī kè yě bù
　　猴子很听话，安静地守在国王身边，一刻也不
céng lí kāi yǎn jing yě bù gǎn hé shàng shēng pà yǒu shén me rén huì shāng hài
曾离开，眼睛也不敢合上，生怕有什么人会伤害
dào guó wáng hū rán huā yuán li de yī zhī mì fēng zài guó wáng de shēn biān
到国王。忽然，花园里的一只蜜蜂在国王的身边
fēi lái fēi qù hóu zi mǎ shàng jǐng jué qǐ lái yǎn jing jǐn jǐn de dīng zhe nà
飞来飞去，猴子马上警觉起来，眼睛紧紧地盯着那
zhī fēi wǔ de mì fēng méi xiǎng dào nà zhī mì fēng jìng rán luò zài guó wáng de
只飞舞的蜜蜂。没想到那只蜜蜂竟然落在国王的
tóu shang hóu zi yī kàn jiù huǒ le xīn xiǎng zhè ge huài jiā huo jìng gǎn dāng
头上，猴子一看就火了，心想：这个坏家伙竟敢当
zhe wǒ de miàn lái shāng hài guó wáng yú shì tā jiù kāi shǐ zǔ dǎng dàn
着我的面来伤害国王。于是，它就开始阻挡。但
shì zhè zhī mì fēng gāng bèi gǎn zǒu lìng yī zhī mì fēng yòu fēi dào guó wáng de
是，这只蜜蜂刚被赶走，另一只蜜蜂又飞到国王的

身上。猴子大怒，抽出宝剑对着蜜蜂砍下去，结果蜜蜂没砍到，却把国王的脑袋砍了下来。

这时，王后听到声音，赶紧跑来，看到这可怕的情景，大叫起来："来人哪，国王出事了，赶快杀了这只该死的猴子吧！"

猴子委屈地说："有坏人要伤害国王，我是为了保护国王才这样做的呀。"可怜的国王就这样死在他最信任、最宠爱的猴子手上。

寓言一点通

这个寓言告诉我们：把重要的事情交给愚蠢的人去做，即使好事也会变成坏事，就像故事中愚蠢的猴子那样，让国王丢了性命。和这样的人为友，是一件十分危险的事情。

huà duō hǎo ma
话多好吗

qín zǐ shì mò zǐ de yī gè xué shēng　tā yī zhí xī wàng zì jǐ néng
禽子是墨子的一个学生，他一直希望自己能

yǒu yī fù hǎo kǒu cái　néng xióng biàn tiān xià　dàn tā yòu yǒu yī gè kùn huò
有一副好口才，能雄辩天下。但他又有一个困惑，

nà jiù shì hǎo kǒu cái shì bù shì yī dìng yào duō shuō huà ne　shuō tài duō de huà
那就是好口才是不是一定要多说话呢？说太多的话

dào dǐ shì bù shì yī jiàn hǎo shì ne
到底是不是一件好事呢？

yī tiān　qín zǐ dài zhe zhè ge kùn huò xiàng mò zǐ qǐng jiào　xiān sheng
一天，禽子带着这个困惑向墨子请教："先生，

yào xiǎng liàn jiù yī fù hǎo kǒu cái　shì bù shì yī dìng yào duō shuō huà ne
要想练就一副好口才，是不是一定要多说话呢？"

墨子笑着回答："我想先听听你自己的想法。"

禽子想了想说："我也一直困惑，好口才必须在与人说话的过程中才能表现出来，由此看来话要多说。可是有时候说了很多的话，也只是表达了同样一个意思，这样话说多了并不代表有很多价值，由此看来话不必多，我自己也糊涂了。"

墨子慢悠悠地说："你听过青蛙和蛤蟆的叫声吗？它们日夜不停地叫，在水里叫，在地上叫，可以说已经叫得口干舌燥了。它们的话算多了吧，可是谁听呢？"

禽子说："是啊，它们每天发出同样的声音，并没有多大意义，谁也不会把它们的话放在心里。"

墨子说："你再听听公鸡的啼叫。它只是在每天清晨的时候啼叫，声音高亢嘹亮，人们听到后就知道要起身劳作了。"

禽子说："是的，公鸡虽然话不多，但人们都很在意。"

墨子点点头说："可见，我们说话不在于多和少，只要有用、适用就行。"

禽子听了，连连点头："先生，我明白了。"

寓言一点通

　　这个寓言告诉我们：衡量事物的好坏，并不能单纯地看"量"，更重要的是看"质"。只要有用、适用，即使"少"了也能达到目的。

yàn zi guò dōng
燕子过冬

秋天的时候，蚂蚁们排着长长的队伍，忙忙碌碌地搬运着食物。

一只小燕子看到了，好奇地问道："你们在这里做什么呀？"一只蚂蚁回答："冬天快到了，到时候吃的东西就很难找了。我们要趁入冬前多储备些食物，那样才好过冬啊。"

"你们可真聪明啊！"小燕子敬佩地说，"我也应该像你们一样开始准备食物了。"

小燕子立即行动起来，把一些死蜘蛛、死苍蝇往自己的巢里衔，一趟又一趟，巢里堆了许多死虫子。

燕妈妈看到了，忍不住问道："孩子，你弄了这么多东西做什么呀？留着给妈妈吃吗？"

小燕子认真地回答："妈妈，我是准备过冬的。到了冬天我们就找不到吃的东西啦，所以要赶快准备准备。"

燕妈妈听了，笑着说："这是谁教给你的方法呀？"

"是小蚂蚁呀，它们可真聪明。"小燕子回答。

燕妈妈告诉小燕子："这样的方法适合小蚂蚁们，不适合我们。我们有翅膀，会飞得很高很远，可以有更好的办法来安排我们的冬天。"

小燕子着急地问："是什么好办法呀？妈妈，你

kuài gào su wǒ ba　dōng tiān jiù yào lái le ya
快告诉我吧，冬天就要来了呀。"

yàn mā ma gào su xiǎo yàn zi　qiū tiān lái dào de shí hou　wǒ men jiù
燕妈妈告诉小燕子："秋天来到的时候，我们就

jí tǐ wǎng nán fēi　fēi dào wēn nuǎn de nán fāng　zài nà lǐ　wǒ men yī
集体往南飞，飞到温暖的南方。在那里，我们一

diǎnr　yě bù quē shǎo shí wù　zhí dào yī gè xīn de chūn tiān dào lái　wǒ men
点儿也不缺少食物，直到一个新的春天到来。我们

xiàn zài jiù kě yǐ chū fā le
现在就可以出发了。"

xiàn zài　xiǎo yàn zi zhōng yú míng bai le　tā men de dōng tiān shì zài
现在，小燕子终于明白了，它们的冬天是在

wēn nuǎn de nán fāng dù guò de
温暖的南方度过的。

寓言一点通

　　这个寓言告诉我们：每个人都有自己处理事情的方法，方法不是唯一的、绝对的，只有根据自己的实际情况，选择适合自己的才是最好的。

会跳舞的小羊

huì tiào wǔ de xiǎo yáng

有一只小羊离开了羊群，独自走在山路上，正巧遇上一只狼。

狼哈哈大笑着说："看到你，我就知道自己今天的晚餐是什么了。"看着狼张牙舞爪的样子，小羊心里很害怕，但它还是尽可能冷静地说："我知道，你不可能放了我，可我在临死前想提一个小小的请求。"

狼想想小羊即将成为自己的晚餐，先听听它的请求也无妨，于是说道："好吧，你说！"

"你知道吗，我是羊群里最会跳舞的小羊。

今天临死前，我想把自己最优美的舞蹈跳一遍，请你为我吹一下笛子吧。"小羊说得很诚恳，狼就爽快地答应了。

狼吹起了笛子，因为它实在不会吹，所以笛子的声音断断续续的很难听，却传得很远很远。笛声传到了远处牧羊犬的耳朵里，它一听这奇怪的笛声就知道出事了。牧羊犬顺着声音发出的方向，飞快地向山路上赶来，不一会儿就看到了正在跳舞的小羊和边上吹笛子的狼，连忙把狼赶跑了。聪明的小羊就这样救了自己。

寓言一点通

这个寓言告诉我们：面对比自己强大的敌人，和他们斗争不仅需要勇气，更需要冷静和智慧。故事中的小羊，正是这样救了自己的性命。

cān tiān dà shù
参天大树

古时候，有个非常有名的木匠叫匠石，许多年轻人都跑到他的门下跟他学手艺。

有一天，匠石带着徒弟们四处采购上好的木料。他们来到齐国曲辕，那儿有一座古老的土庙，土庙边上长着一棵古树，枝繁叶茂，高耸入云。

徒弟们都没见过这么高大的树，不由得议论起来。

"真是绝无仅有的好木材呀。"

"是啊，如果做

成家具一定很结实。"

"这么好的木材用
来造船一定不错。"

面对徒弟们的议
论，匠石却表现出不屑
一顾的样子。他对着树
摇摇头，然后头也不回
地径直向别处走去。

徒弟们疑惑不解：
原本对好木材特别心动的师傅，今天为什么表现
得一反常态呢？

徒弟们赶忙跑上前去问个究竟："师傅，您觉
得那棵大树怎么样？"

匠石回答："这棵树从外表看确实高大，用它
可以做很多家具，但从木材的实质来看，却是脆而
不坚。如果做成家具，要不了多久就会腐烂；如果
拿去造船或建房，就会造成很大的危害。"

徒弟们更奇怪了："可是，在我们眼里，这木材

真的很不错呀，为什么您却认为它不坚实呢？"

匠石又耐心地对徒弟们解释道："你们想一想，这棵树处在这么显眼的地方，如果真是好材料，历代的木匠会不用它吗？正因为它不坚实，所以历代匠人都不用它，它才能长得这么高大呀！"

匠石的一番话让徒弟们终于明白了。

寓言一点通

这个寓言告诉我们：判断事物的好坏，不能只看表面，而被一些假象所迷惑，否则就很容易得出错误的结论。重要的是看事物的实质，才能恰如其分地作出正确的评价。故事中匠石对那棵大树的判断，就是认清了它的实质。

mǎ hé è láng
马和恶狼

yī zhī láng kàn jiàn mù chǎng shang yǒu pǐ mǎ zài chī cǎo　xīn lǐ yī zhèn
一只狼看见牧场上有匹马在吃草,心里一阵

gāo xìng　xīn xiǎng　yào shi néng bǎ zhè pǐ mǎ nòng dào shǒu　jiù kě yǐ hǎo hǎo
高兴,心想:要是能把这匹马弄到手,就可以好好

de měi cān yī dùn le　kě shì tā yě zhī dào　yào duì fu yī pǐ gāo dà de
地美餐一顿了。可是它也知道,要对付一匹高大的

mǎ　bù xiàng bǔ zhuō yī zhī xiǎo tù zi nà me qīng ér yì jǔ　bì xū děi dòng
马,不像捕捉一只小兔子那么轻而易举,必须得动

yī fān nǎo jīn cái xíng
一番脑筋才行。

láng yú shì jiǎ xīng xīng de pǎo dào mǎ de gēn qián　zhuāng zuò shí fēn
狼于是假惺惺地跑到马的跟前,装作十分

chéng kěn de yàng zi shuō dào　mǎ xiōng di ya　wǒ shì yī zhī néng wèi bié
诚恳的样子说道:"马兄弟呀,我是一只能为别

rén zhěn zhì bǎi bìng de láng
人诊治百病的狼。

wǒ zhī dào nǐ měi tiān dōu yào
我知道你每天都要

pǎo hěn duō lù　jiǎo hěn róng
跑很多路,脚很容

yì shòu shāng　ràng wǒ gěi
易受伤,让我给

nǐ zhì zhì jiǎo shāng ba
你治治脚伤吧。"

mǎ méi hǎo qì de
马没好气地

shuō　wǒ de jiǎo gēn běn
说:"我的脚根本

jiù méi yǒu máo bìng   yòng bù zháo nǐ xiā
就没有毛病，用不着你瞎

cāo xīn   nǐ kuài zǒu ba
操心，你快走吧！"

láng nǎ lǐ kěn jiù cǐ bà xiū
狼哪里肯就此罢休，

hái jì xù shuǎ huā zhāo   nǐ měi tiān yào
还继续耍花招："你每天要

pǎo nà me duō de lù   jiǎo zěn me kě
跑那么多的路，脚怎么可

néng méi máo bìng ne   hái shi ràng wǒ gěi
能没毛病呢？还是让我给

nǐ kàn kàn ba   láng biān shuō biān qiāo
你看看吧！"狼边说边悄

qiāo de rào dào mǎ de hòu tí biān   zhuāng
悄地绕到马的后蹄边，装

chū wèi tā jiǎn chá jiǎo de yàng zi   qí
出为它检查脚的样子，其

shí shì xiǎng zhǎo zhǔn shí jī   yī kǒu yǎo
实是想找准时机，一口咬

duàn mǎ tí   ràng mǎ pǎo bù liǎo
断马蹄，让马跑不了。

kě shì   dāng tā hái méi lái de jí   xià shǒu shí   bǎo chí gāo dù jǐng tì
可是，当它还没来得及下手时，保持高度警惕

de mǎ què yǐ jí kuài de sù dù tái qǐ hòu tuǐ   duì zhe láng de liǎn zhòng zhòng
的马却以极快的速度抬起后腿，对着狼的脸重重

yī tī   pā de yī shēng   jī suì le láng de è gǔ hé yá chǐ
一踢，"啪"的一声，击碎了狼的腭骨和牙齿。

寓言一点通

　　这个寓言告诉我们：只有对坏人保持高度的警惕，才能识破他们伪善的诺言和行为，并及时运用自己的战斗力给对方以有力的打击。故事中马的表现正说明了这一点。

怎么救小羊
zěn me jiù xiǎo yáng

甲、乙两个猎人一起上山去打猎，正好看见前面有一只狼在追赶一只小羊。在紧要关头，他俩决定射死狼救下小羊。可是，用什么方式来射死狼呢？他俩就这个问题讨论起来。

甲说："射狼最重要的是射中它的眼睛。这样吧，我射狼的左眼，你射狼的右眼，当狼

de liǎng zhī yǎn jing dōu xiā le   jiù méi bàn fǎ qù zhuī xiǎo yáng le
的两只眼睛都瞎了，就没办法去追小羊了。"

yǐ què bù tóng yì jiǎ de shuō fǎ   bù duì   shè láng zuì zhòng yào de
乙却不同意甲的说法："不对，射狼最重要的

shì shè tā de tuǐ   nǐ shè láng de zuǒ tuǐ   wǒ shè láng de yòu tuǐ   qué tuǐ láng
是射它的腿。你射狼的左腿，我射狼的右腿，瘸腿狼

jiù zhuī bù shàng xiǎo yáng le
就追不上小羊了。"

jiǎ bù tóng yì   tí chū le xīn de jiàn yì   láng shì yòng zuǐ ba chī yáng
甲不同意，提出了新的建议："狼是用嘴巴吃羊

de   rú guǒ wǒ men xiǎng bàn fǎ shè zhòng láng de zuǐ ba   nà tā jiù méi bàn fǎ
的。如果我们想办法射中狼的嘴巴，那它就没办法

chī dào xiǎo yáng le   zán liǎ hái shi yī qǐ miáo zhǔn láng de zuǐ ba shè ba
吃到小羊了。咱俩还是一起瞄准狼的嘴巴射吧。"

yǐ hái shi bù tóng yì jiǎ de shuō fǎ   wǒ jué de   qí shí rèn hé
乙还是不同意甲的说法："我觉得，其实任何

dòng wù zhǐ yào shè zhòng tā de xīn zàng   tā jiù yī dìng huó bù liǎo   wǒ kàn
动物只要射中它的心脏，它就一定活不了。我看，

wǒ men hái shi yī qǐ duì zhǔn tā de xīn zàng ba
我们还是一起对准它的心脏吧。"

jiǎ shuō   nǐ shuō de dào shì róng yì   xīn zàng zài shēn tǐ lǐ miàn
甲说："你说得倒是容易，心脏在身体里面，

nǎ yǒu bǎ wò shè de zhǔn na
哪有把握射得准哪，

wǒ kàn hái shi
我看还是……"

liǎng gè liè rén wèi zěn
两个猎人为怎

me shè láng de wèn tí zhēng lùn
么射狼的问题争论

bù xiū   yǎn kàn xiǎo yáng jiù yào
不休。眼看小羊就要

chéng wéi láng de liè wù   zhǐ
成为狼的猎物，只

tīng sōu de yī shēng   yuǎn
听"嗖"的一声，远

chù fēi lái yī zhī jiàn　zhèng shè zhòng láng de xiōng kǒu　láng yìng shēng dǎo dì
处飞来一支箭，正射中狼的胸口。狼应声倒地，

xiǎo yáng zhōng yú dé jiù le
小羊终于得救了。

jiǎ　　yǐ liǎng rén huí tóu yī kàn　fā xiàn shì yī wèi lǎo liè rén shè de
甲、乙两人回头一看，发现是一位老猎人射的

jiàn　zhǐ jiàn lǎo liè rén zǒu shàng qián　xiào zhe duì tā men shuō　　　nǐ men
箭。只见老猎人走上前，笑着对他们说："你们

guāng zhī dào shuō yǒu shén me yòng　méi yǒu xíng dòng yī qiè dōu shì kōng de　děng
光知道说有什么用，没有行动一切都是空的。等

nǐ men tǎo lùn wán le　xiǎo yáng zǎo jiù jìn láng de dù zi le　　shuō wán　lǎo
你们讨论完了，小羊早就进狼的肚子了。"说完，老

liè rén bēi qǐ shè sǐ de láng zǒu le　liú xià nà liǎng gè liè rén dāi dāi de zhàn
猎人背起射死的狼走了，留下那两个猎人呆呆地站

zài nà lǐ
在那里。

寓言一点通

　　这个寓言告诉我们：一事当前，如果不踏踏实实地去干，而一味自作聪明地高谈阔论，不仅会误事，更会坏事。只有真正的行动，才会有结果。

一千个办法和一个办法

猎人在树林里挖了个陷阱，又在上面铺了一层厚厚的枯枝掩盖着，不仔细看，谁也发现不了。

一只狐狸飞快地跑过来，一不小心掉进了猎人的陷阱里。没过多久，一只饥饿的灰鹤飞下来觅食，

也掉进了陷阱里。它们一起在陷阱里想着逃出去的办法。

狐狸在陷阱里不停地跑，一边跑一边说："我要逃出去，我一定要逃出去！我会有一千个办法，一千个可以逃出去的办法。"

灰鹤不吭声，待在一边静静地想办法，希望能

xiǎng chū yī gè kě yǐ táo chū qù de bàn
想出一个可以逃出去的办

fǎ huī hè wǎng shàng kàn le kàn xiàn
法。灰鹤往上看了看，陷

jǐng yòu zhǎi yòu shēn lián chì bǎng dōu méi
阱又窄又深，连翅膀都没

bàn fǎ zhǎn kāi lái gèng bù yào shuō fēi
办法展开来，更不要说飞

xiáng le ér qiě zì jǐ yīn wèi jī è
翔了，而且自已因为饥饿，

yě yǐ jīng méi yǒu tài duō de lì qi le
也已经没有太多的力气了。

xiǎng le hǎo yī huìr tā zì yán zì
想了好一会儿，它自言自

yǔ de shuō wǒ yào táo chū qù děi
语地说："我要逃出去，得

xiǎng yī gè bàn fǎ yī gè néng ràng zì
想一个办法，一个能让自

jǐ táo chū qù de hǎo bàn fǎ
已逃出去的好办法。"

hú li cǐ shí yǐ jīng xiǎng le xǔ
狐狸此时已经想了许

duō táo chū qù de bàn fǎ zhǐ tīng tā shuō dāng liè rén lái shí wǒ kě yǐ
多逃出去的办法，只听它说："当猎人来时，我可以

tōu tōu de ná zǒu tā de liè qiāng wǒ hái kě yǐ chèn tā bù zhù yì de shí
偷偷地拿走他的猎枪；我还可以趁他不注意的时

hou yǎo diào tā de bí zi wǒ hái kě yǐ hú li bù duàn de xiǎng
候，咬掉他的鼻子；我还可以……"狐狸不断地想

chū yī gè gè xīn bàn fǎ
出一个个新办法。

guò le yī huìr hú li hé huī hè jī hū tóng shí tīng dào liè rén de
过了一会儿，狐狸和灰鹤几乎同时听到猎人的

jiǎo bù shēng liè rén wǎng xiàn jǐng zhè biān zǒu lái le yuè zǒu yuè jìn
脚步声。猎人往陷阱这边走来了，越走越近。

huī hè hū rán dǎo zài xiàn jǐng li yī dòng bù dòng jiù xiàng sǐ le yī
灰鹤忽然倒在陷阱里一动不动，就像死了一

样。狐狸仍然在陷阱里不停地跑着,嘴里一个劲儿地说:"我有一千个办法,我一定能逃出去。"

猎人走到陷阱边,看到正在跑动的狐狸和一

动不动的灰鹤,跳下陷阱,一把抓起那只"死"鹤,把它扔出陷阱,然后开始动手收拾狐狸。由于狐狸总是不停地跑,猎人只好用棍子把它打死了。那只装死的灰鹤被扔出陷阱,就拍着翅膀飞走了,嘴里还叫着:"我有一个办法,一个办法……"

寓言一点通

这个寓言告诉我们:说大话、空话是自欺欺人,最终会害了自己。面对困难,最重要的是开动脑筋,想出切实可行的办法。

蚂蚁和大堤

从前，有个国王命令大臣修建一座宏伟的防洪大堤。工程完工后，国王亲自去视察。他望着几十里长的江堤，满心欢喜，并重赏了负责修堤的大臣。

这时，一位老农从堤下走过。他看了看江堤，对国王说："陛下，我在这江堤上发现一些小小的蚁穴，这让我想到大堤是否坚固。"

国王觉得很奇怪："这小小的蚁穴和大堤的坚固有什么关系呢？"老农认真地说："关系可大了。别看这些

xiǎo xiǎo de yǐ xué　rú guǒ bù chèn zǎo wā diào tā chóng xīn xiū jiàn dà dī
小小的蚁穴，如果不趁早挖掉它重新修建大堤，

jiāng lái kě jiù hòu huàn wú qióng a
将来可就后患无穷啊！"

guó wáng tīng le hěn bù gāo xìng　shuō　rú cǐ hào dà de cháng dī
国王听了很不高兴，说："如此浩大的长堤，

hái pà zhè xiǎo xiǎo de yǐ xué ma
还怕这小小的蚁穴吗？"

lǎo nóng hái xiǎng zhēng biàn　què bèi wèi shì hōng zǒu le
老农还想争辩，却被卫士轰走了。

suí zhe shí jiān de tuī yí　yuè lái yuè duō de mǎ yǐ zài cháng dī shang
随着时间的推移，越来越多的蚂蚁在长堤上

ān le jiā　bù dào liǎng nián mǎ yǐ jìng rán bǎ cháng dī wā chū yī gè dà
安了家。不到两年，蚂蚁竟然把长堤挖出一个大

dòng　yóu yú méi yǒu dé dào jí shí xiū bǔ　hóng shuǐ dào lái shí　cháng dī qīng
洞。由于没有得到及时修补，洪水到来时，长堤轻

ér yì jǔ de jiù bèi chōng kuǎ le　zhè shí　guó wáng cái xiǎng qǐ lǎo nóng de
而易举地就被冲垮了。这时，国王才想起老农的

huà　dàn yǐ jīng lái bu jí le
话，但已经来不及了。

寓言一点通

　　这个寓言告诉我们：有时候，一些看起来很微小的、似乎根本无关大局的问题，如果不及早解决，往往会酿成大错而无法挽回。而且在许多事情上，预防比补救更重要。

hú li hé pú tao
狐狸和葡萄

yǒu yī zhī hú li hǎo jǐ tiān méi chī dōng xi le dù zi è de bù dé
有一只狐狸好几天没吃东西了,肚子饿得不得

liǎo tā dào chù zhǎo chī de bù zhī bù jué de lái dào yī zuò pú tao jià xià
了。它到处找吃的,不知不觉地来到一座葡萄架下。

tā tái qǐ tóu kàn jiàn pú tao jià shang guà mǎn le pú tao yī chuàn chuàn de
它抬起头,看见葡萄架上挂满了葡萄。一串串的

pú tao duō yòu rén na chán de hú li
葡萄多诱人哪,馋得狐狸

kǒu shuǐ zhí liú
口水直流。

hú li lián máng diǎn qǐ jiǎo jiān
狐狸连忙踮起脚尖,

shēn cháng shǒu bì xiǎng qù zhāi jià
伸长手臂,想去摘架

shang de pú tao kě shì xiāng chà tài
上的葡萄,可是相差太

yuǎn le gēn běn méi fǎ gòu dào kàn
远了,根本没法够到。看

zhe yòu rén de pú tao què chī bù dào
着诱人的葡萄却吃不到,

hú li xīn lǐ hǎo nán shòu wa
狐狸心里好难受哇。

zěn yàng cái néng chī dào jià shang
怎样才能吃到架上

de pú tao ne hú li shǐ zú jìn wǎng
的葡萄呢?狐狸使足劲往

shàng tiào xiǎng tiào de gāo gāo de qù
上跳,想跳得高高的去

zhāi pú tao kě
摘葡萄，可

hái shi gòu bù
还是够不

dào hěn kuài
到。很快，

hú li yòu xiǎng
狐狸又想

chū yī gè bàn fǎ zhǎo lái yī gēn kū shù zhī
出一个办法：找来一根枯树枝，

yòng kū shù zhī qiāo xià jià shang de pú tao kě
用枯树枝敲下架上的葡萄。可

xī kū shù zhī méi dǎ dào pú tao què dǎ dào mù jià shang
惜枯树枝没打到葡萄，却打到木架上，

jié guǒ pú tao méi dǎ xià lái dào bǎ kū shù zhī dǎ duàn le
结果葡萄没打下来，倒把枯树枝打断了。

hú li tái tóu wàng zhe mǎn jià de pú tao hǎo bù nǎo
狐狸抬头望着满架的葡萄好不恼

huǒ dàn tā zhuǎn niàn yī xiǎng xìng hǎo wǒ méi chī zhè xiē pú
火。但它转念一想：幸好我没吃这些葡

tao tā men kěn dìng suān de bù dé liǎo rú guǒ wǒ bù xiǎo xīn chī le zhè xiē
萄，它们肯定酸得不得了。如果我不小心吃了这些

pú tao méi zhǔn huì bǎ wǒ de yá suān de diào xià lái xiàn zài wǒ de yá qǐ
葡萄，没准会把我的牙酸得掉下来，现在我的牙起

mǎ hái shi hǎo hǎo de hú li zhè yàng yī xiǎng jiù bù zài nǎo huǒ fǎn ér
码还是好好的。狐狸这样一想，就不再恼火，反而

gāo xìng qǐ lái jué de méi chī dào pú tao shì jiàn hǎo shì
高兴起来，觉得没吃到葡萄是件好事。

寓言一点通

　　这个寓言告诉我们：吃不到葡萄就说葡萄酸，这是做不成事情后的一种自我安慰，也是一种不愿面对现实的说法。

鹿和狮子

鹿在河边喝水,看到水中自己的倒影,不由得欣赏起来:头上的角长得特别挺拔、美丽,身上的斑纹也不错,只是四条腿又细又长,一点儿也不好看。鹿自言自语地说:"我真不喜欢这四条细长的腿。要不是它们,也许我算得上森林里最美丽的动物了。"

就在这时,不远处的草丛里一只狮子一跃而起,向鹿猛扑过来。鹿什么也来不及想,撒腿就跑。它跑得飞快,把狮子远远地甩到后面。

狮子看到鹿跑得那么快,知道硬追肯定是追不上

的，就想出一个办法。它忽然改变追赶的方向，把鹿向丛林赶去。

鹿什么也没想，只是一个劲儿地向前跑。当它一头冲进丛林里的时候，才发现出现了问题：头上的角被树枝绊住，跑不动了。鹿使劲地来回摆动着头，希望能把头上的角从树枝上拉出来。可是它越动，角缠绕得越紧，直到最后一动也动不了了。

"天哪，如果没有这美丽的角，也许我还能保住性命，可现在真的完了。"当鹿还在想这些的时

hou shī zi yǐ jīng zhuī le shàng lái qīng qīng sōng sōng de dǎi zhù le zhè zhī
候，狮子已经追了上来，轻轻松松地逮住了这只

kě lián de lù
可怜的鹿。

shī zi shuō rú guǒ nǐ yī zhí zài cǎo yuán shang pǎo yě xǔ zhí dào
狮子说："如果你一直在草原上跑，也许直到

xiàn zài wǒ hái zhuī bù shàng nǐ yīn wèi nǐ yǒu zhí dé jiāo ào de sì tiáo tuǐ
现在我还追不上你，因为你有值得骄傲的四条腿，

wǒ gēn běn pǎo bù guò
我根本跑不过

nǐ kě xiàn zài yī pǎo
你。可现在一跑

jìn cóng lín nǐ jiù
进丛林，你就

zhù dìng wán dàn le
注定完蛋了。"

lù zhè cái míng
鹿这才明

bai yuán lái zì jǐ
白，原来自己

yī zhí jué de zuì nán
一直觉得最难

kàn de xì cháng de tuǐ cái shì tā zhēn zhèng de jiāo ào ér yǐn yǐ wéi háo
看的细长的腿，才是它真正的骄傲，而引以为豪

de měi lì de jiǎo què sòng le tā de xìng mìng kě xī tā míng bai de shí zài
的美丽的角却送了它的性命。可惜它明白得实在

shì tài wǎn le
是太晚了。

寓言一点通

　　这个寓言告诉我们：外表看来并不十分称心的东西，有时却是非常有用的；有些看似美丽的、引以为豪的东西，却会让人失去性命。因此，看任何事物都要透过现象，看清本质。

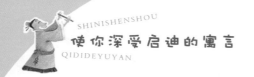

外科大夫

有位自称医术高超的外科大夫，在自家的诊所前挂起一块醒目的招牌，上面写着："外科手术，百治百愈。"吸引了不少人前来求诊。

一天，一位受了箭伤的士兵前来求诊："大夫，一支箭射中了我的身体，好痛啊！您快帮帮我吧！"

大夫上前一看，那支箭射中了士兵的腰部，箭头已经进入体内，只有一小截箭杆留在体外。大夫看完后，指着留在体外的箭杆，不屑一顾地说："这点问题，我一下子就能解决。"说着找来一把大剪刀。士兵以为大夫要剪开他的身体，为他取箭，紧张得闭上眼睛。大夫却笑着说："胆小鬼，还当什么兵打什么仗啊，看把你吓得！"

没想到那大夫根本没动士兵的身体，只是对着那支箭"咔嚓"一下，把留在体外的箭杆剪了下来，然后轻松地说："好啦，我已经把你的问题解决了。"士兵大吃一惊，忍不住叫道："箭还留在我的身体里呢，里面还痛啊，你这也叫治病啊？"

大夫理直气壮地说："你知道，我是外科医生，我

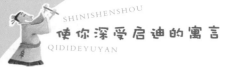

zhǐ guǎn shēn tǐ wài bù
只管身体外部
de qíng kuàng zhì yú
的情况，至于
shēn tǐ lǐ miàn de jiàn
身体里面的箭
tóu nǐ yào zhǎo nèi kē
头，你要找内科
yī shēng qù kàn bù yào
医生去看。不要
duì wǒ dà hū xiǎo jiào
对我大呼小叫，
kuài bǎ qián fù le
快把钱付了！"

shì bīng yòu qì yòu
士兵又气又
jí nǎ yǒu nǐ zhè yàng
急："哪有你这样
de wài kē yī shēng xiàng
的外科医生！像
nǐ zhè yàng zhì bìng wǒ zì jǐ yě huì ya hái yòng de zháo zhǎo nǐ ma
你这样治病，我自己也会呀，还用得着找你吗？"
cóng cǐ yǐ hòu zài yě méi yǒu rén zhǎo zhè ge wài kē dài fu kàn bìng
从此以后，再也没有人找这个外科大夫看病
le
了。

寓言一点通

　　这个寓言告诉我们：这个大夫只注重"外科"
的"外"字，而忘记了医生治病的本质。他的这种表
面化治疗，只注重形式而不求实质，不但没有任何
价值，而且十分有害。

游泳能手的儿子

有个过路人从江边走过，忽然听到不远处传来孩子的呼救声："救救我，救救我！"

过路人顺着声音传来的方向跑去，看到可怕的一幕：一个高大的男子正拉着一个四五岁弱小的男孩往江里推。孩子大声哭喊着："叔叔，我怕，我不会游泳。"可是那个男子对孩子的喊叫根本不理会，硬要把孩子往水里推。

过路人急忙上前阻拦："这么小的孩子，你怎么忍心把他推进水里呢？这里的水很深的，他会被淹死的。"

那个男子说："你

bù zhī dào wa，zhè hái zi de bà ba shì zhè
不知道哇，这孩子的爸爸是这
yī dài zuì yǒu míng de yóu yǒng néng shǒu fāng
一带最有名的游泳能手，方
yuán jǐ shí lǐ wú rén bù zhī wú rén
圆几十里无人不知无人
bù xiǎo wa yǒu zhè yàng de bà ba
不晓哇。有这样的爸爸，
hái zi néng bù huì yóu yǒng ma
孩子能不会游泳吗？"

guò lù rén qì fèn de shuō
过路人气愤地说：
kě shì tā de bà ba huì yóu yǒng bìng
"可是他的爸爸会游泳并
bù dài biǎo tā huì yóu yǒng tā hái zhǐ shì gè hái zi rú guǒ tā méi yǒu xué
不代表他会游泳。他还只是个孩子，如果他没有学
guo yóu yǒng jiù bǎ tā fàng jìn shēn shuǐ li zhǐ huì yào le tā de mìng a
过游泳就把他放进深水里，只会要了他的命啊。"

nán zǐ yáo yáo tóu yí huò de shuō tā bà ba huì tā zěn me néng
男子摇摇头，疑惑地说："他爸爸会，他怎么能
bù huì ne
不会呢？"

guò lù rén shuō yǒu hěn duō dōng xi bìng bù shì quán kào yí chuán de
过路人说："有很多东西并不是全靠遗传的。
nǐ zhēn xiǎng hái zi huì yóu yǒng hái shi yào àn yī dìng de fāng fǎ cóng tóu jiāo
你真想孩子会游泳，还是要按一定的方法从头教
qǐ nà cái shì duì de
起，那才是对的。"

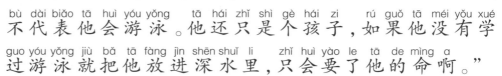

寓言一点通

这个寓言告诉我们：人的绝大部分能力都是靠后天学会的，认为仅靠天分、靠遗传就能拥有一切的想法是不可取的。游泳能手的孩子如果就这样被扔进水里，可想而知是会被淹死的。

māo tóu yīng bān jiā
猫头鹰搬家

一天，一只猫头鹰气呼呼地在整理东西。一只斑鸠看到了，好奇地问："猫头鹰大哥，你要出远门吗？"

猫头鹰头也没抬，一边自顾自地整理东西，一边说道："这地方我再也不想待了。我要搬家，离这里远远的。"

斑鸠忍不住又问道："好好的故乡故土，为什么不想待了？"

猫头鹰生气地说："本来我倒也没想搬家的，可是这里的人都嫌我的叫声太难听。"

斑鸠问道："这就是

nǐ bān jiā de yuán yīn ma
你搬家的原因吗?"

shì a wǒ kě bù xiǎng ràng bié rén tǎo yàn
"是啊,我可不想让别人讨厌

wǒ wǒ xiàn zài yào bān dào dōng bian dào nà lǐ qù
我。我现在要搬到东边,到那里去

ān jiā māo tóu yīng shuō
安家。"猫头鹰说。

bān jiū quàn shuō dào rén men
斑鸠劝说道:"人们

tǎo yàn nǐ shì yīn wèi nǐ de jiào shēng
讨厌你,是因为你的叫声

tài nán tīng rú guǒ nǐ de jiào shēng bù
太难听。如果你的叫声不

gǎi biàn jiù suàn nǐ bān dào xīn de dì
改变,就算你搬到新的地

fang nà lǐ de rén hái shi huì shòu bù
方,那里的人还是会受不

liǎo nǐ de shēng yīn nà shí nǐ bù shì
了你的声音,那时你不是

yòu děi bān jiā ma
又得搬家吗?"

tīng bān jiū zhè me yī shuō māo tóu yīng kāi shǐ chén sī qǐ lái shì zhè
听斑鸠这么一说,猫头鹰开始沉思起来:是这

ge dào lǐ ya nà me hái bān bù bān jiā ne shì bù shì hái yǒu bié de shén
个道理呀。那么还搬不搬家呢?是不是还有别的什

me fāng fǎ lái gǎi biàn zhè yī qiè ne
么方法来改变这一切呢?

寓言一点通

　　这个寓言告诉我们:面对周围人的非议,首先
要想想自己身上是否存在问题。如果问题确实存
在,就应该认真改正,而不是消极地躲避。如果只
是一味地埋怨环境,那是不起作用的。

小偷改错
xiǎo tōu gǎi cuò

古时候有个人，从小养成了小偷小摸的坏习惯：一到别人家里，只要没人注意，就要偷点儿东西回家。

邻居家里养了许多鸡，这个小偷每天都要偷一只回家。有一天，一位长者劝他："年轻人哪，做人要正正经经，正大光明，要懂得是非好坏。偷人家东西可不好，你还是快快改过才是啊。"

小偷听了长者的话，觉得有道理："是啊，我也不想一辈子做坏人，我也想做好人。可是偷东西已经成了我每天的习惯，我想改也不容易呀。"

长者安慰他："任何事情只要下决心去做，没有做不到的，你偷东西的坏习惯也一样能改。"

小偷并不这样认为，觉得要给自己时间才行。

他给自己订了个计划："这个坏毛病是应该改，但不是一天两天就能改掉的，还是慢慢来吧。我原来一天偷一只鸡，现在就改为一个月偷一只。等到明年再停止不偷。"于是，小偷看到邻居家的鸡在院子里走来走去，就在一边扳着手指算：还有几天到

一个月呢？到一个月我就可以再偷一只鸡了。

正在这时，他看到邻居家的鸡下了个蛋，蛋就在墙角边，就飞快地跑去把蛋偷了回来，心想：本来我是要偷鸡的，现在我没有偷鸡，改偷蛋了。和鸡

相比，蛋又小又不值钱，应该也是一种进步吧，我应该为自己感到高兴。他还跑去对长者说：

"先生，我现在已经开始改偷东西的坏习惯了。本来我是常常偷鸡的，现在我只是偶尔偷个鸡蛋。"长者生气地说："真是教不好的东西！你看着吧，不会有好结果的。"说完气呼呼地走了。

小偷想通过这样的办法改掉偷东西的坏习惯，当然是行不通的。终于有一天，这个小偷被关进了大牢。

寓言一点通

这个寓言告诉我们：既然发现了错误，就要坚决、彻底地改正。如果自欺欺人地认为小错不算什么，实际上就是一种自我原谅。这样的态度是永远也改正不了错误的。

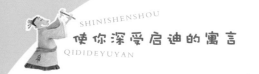

tài yáng de yàng zi
太阳的样子

yǒu gè rén yī shēng xià lái jiù shuāng mù shī míng　yīn cǐ cóng bù zhī
有个人一生下来就双目失明，因此从不知

dào tài yáng shì shén me yàng zi de
道太阳是什么样子的。

yī tiān　tā wèn péng you　nǐ yī dìng kàn dào guo tài yáng　néng gào
一天，他问朋友："你一定看到过太阳，能告

su wǒ tài yáng shì shén me yàng zi de ma
诉我太阳是什么样子的吗？"

péng you gào su tā　tài yáng de xíng zhuàng jiù xiàng dà tóng pén　yuán
朋友告诉他："太阳的形状就像大铜盆，圆

yuán de
圆的。"

máng rén gǎn jǐn huí
盲人赶紧回

jiā　ná chū tóng pén zǐ xì
家，拿出铜盆仔细

de mō ya mō　xiǎng hǎo hǎo
地摸呀摸，想好好

de gǎn shòu yī xià tài yáng
地感受一下太阳，

jié guǒ tóng pén bù xiǎo xīn
结果铜盆不小心

zhuàng dào le bié de shén me
撞到了别的什么

dōng xi　fā chū dōng
东西，发出"咚"

de yī shēng xiǎng　máng rén
的一声响。盲人

吓了一大跳，以为太阳就是发出"咚"的声响的东西。以后，他每次听到钟发出"咚咚"的声响，就以为太阳出来了。

一天，大街上有人在敲鼓，不断地发出"咚咚咚"的声响。盲人特别奇怪，就问旁边的朋友："今天是怎么了，怎么有那么多太阳出来？"朋友听了哈哈大笑："这哪是太阳啊，这是有人在敲鼓。"朋友又告诉他："太阳是会发光的，就像蜡烛一样。"

盲人觉得很奇怪：为什么两个朋友说的不一样呢？他很想知道太阳到底是什么样子的，就叫家人给他买来蜡烛。他仔细地用手去摸蜡烛，感觉

là zhú shì xì xì cháng cháng de
蜡烛是细细长长的
yī gēn dōng xi　　yú shì rèn wéi
一根东西，于是认为
tài yáng yě yīng gāi shì xì xì
太阳也应该是细细
cháng cháng de
长长的。

yǒu yī tiān　máng rén mō
有一天，盲人摸
dào yī gēn zhú dí　hěn zì rán
到一根竹笛，很自然
jiù xiǎng dào le tài yáng　biàn gāo
就想到了太阳，便高
xìng de dà jiào qǐ lái　　à
兴地大叫起来："啊，
wǒ mō dào tài yáng la　wǒ mō
我摸到太阳啦！我摸
dào tài yáng la
到太阳啦！"

yǒu gè péng you kàn dào le　xiào zhe shuō　nǐ zěn me kě néng mō dào
有个朋友看到了，笑着说："你怎么可能摸到
tài yáng ne　nǐ mō dào de bù guò shì gēn zhú dí bà le
太阳呢？你摸到的不过是根竹笛罢了。"

zhè xià　máng rén zhēn de gǎo bù qīng chu le　tài yáng dào dǐ shì shén
这下，盲人真的搞不清楚了：太阳到底是什
me yàng de ne
么样的呢？

寓言一点通

　　这个寓言告诉我们：对一件事物的认识应来自实践，来自综合性的感知。如果光听别人的只言片语，不假思索便简单地作出判断，就会得出一个与事实相差很远的错误结论。

xiǎo tōu hé gōng jī
小偷和公鸡

小偷摸进一户人家行窃，可是找了半天，也没找到一点儿值钱的东西。他非常生气，心想：我这么辛苦地跑一趟，怎么能空着手回去呢？总要偷点儿东西才行。这时，他走到墙角边，正好听到鸡窝里有动静，就把手伸进鸡窝里，捉了一只大公鸡往外跑。

回到家里，小偷又是烧水，又是磨刀，准备杀鸡。他一边忙乎一边说："唉，辛苦了一个晚上，总算还有点儿收获，让我饱饱地吃一顿也不错呀。"

一旁的大公鸡苦苦哀求道:"求您放了我吧,千万别杀我,我可是会做事情的呀。"

小偷好奇地问:"你会干什么呢?"

大公鸡神气地回答:"我每天天不亮就起来喔喔叫,把人们唤醒干活,从来没有耽误过。我对人们可有用处呢。"

小偷笑着说:"你就会干这些呀。"

"是啊,你就看在我日复一日、年复一年辛勤工作的分儿上,饶我一命吧。"大公鸡越说越激动,以为这样的话可以打动小偷。

没想到小偷听了大公鸡的话,更生气了:"你以为自己有多能干哪!正因为你每天这么卖力地早早叫,所以我才更要杀你。"

大公鸡不解地问："这是为什么呀？人们都称赞我做事认真、勤快，你为什么这么讨厌我呢？"

小偷说："都是因为你每天早早地催人们起床，所以我才偷不成东西。我巴不得你别叫，让所有的人大白天都睡得跟死猪一样呢。"

大公鸡的一番话没能救得了自己，最终还是成了小偷的盘中餐。

寓言一点通

　　这个寓言告诉我们：同样一件事情，不同的人从不同的角度看，会得到完全不一样的结果。天真地向对立者说出自己的长处，并非是好事，就像故事中那只可怜的大公鸡一样。

hé shang jiù hǔ
和尚救虎

　　cāng láng shān zhōng yǒu tiáo xī，xī pàn yǒu zuò miào，miào li yǒu gè hé
苍稂山中有条溪，溪畔有座庙，庙里有个和

shang，cháng nián qián chéng de niàn jīng xíng shàn
尚，常年虔诚地念经行善。

　　yī tiān，shān hóng bào fā，xǔ duō cūn mín dōu luò rù shuǐ zhōng，qíng
一天，山洪暴发，许多村民都落入水中，情

kuàng shí fēn wēi jí。hé shang huá zhe chuán，pī zhe suō yī，dài zhe dǒu lì，
况十分危急。和尚划着船，披着蓑衣，戴着斗笠，

zhǐ huī shān mín men qiǎng jiù luò shuǐ de nàn mín。bèi jiù de cūn mín dōu shí fēn
指挥山民们抢救落水的难民。被救的村民都十分

gǎn jī tā，qí shēng shuō：xiè xie nín hǎo xīn de shī fu shì nín jiù le
感激他，齐声说："谢谢您，好心的师父，是您救了

wǒ men de xìng mìng
我们的性命。"

忽然，有人叫道："快看，那是什么？"村民们一看，只见波涛中有个似人非人的东西正在挣扎。

"好像不是人，是野兽！"又有人说。

船慢慢地靠近，村民们终于看清楚了，原来是一只大老虎。"天哪！这次山洪真厉害，把这么大的老虎也冲下来了。"大家议论纷纷。

和尚看到落水的老虎，急忙说："你们别光顾着看热闹，赶快想办法把它救上来呀。"

"什么？把老虎救上来？没有搞错吧，它可是吃人的家伙呀。"村民们简直不敢相信自己的耳朵。

和尚却说："老虎怎么了，它也是一条生命啊。咱们要大慈大悲，不能见死不救。"

在和尚的一再坚持下,人们七手八脚地把老虎救上岸来,然后远远地躲到一边,因为它毕竟是吃人的野兽。只有和尚蹲在老虎身边,仔细地观察老虎是否还有气息。那只老虎在地上躺了一阵子,慢慢地缓过气来。可是它一醒过来,猛地从地上一跃而起,大吼一声,向和尚扑去。

当村民们拿着锄头从远处跑来解救和尚时,和尚已经没气了。

寓言一点通

这个寓言告诉我们:对待凶残的坏人,不管他的处境多么可怜,不管他伪装得多么巧妙,决不能心慈手软,否则到头来受害的只能是自己。

识马比赛
shí mǎ bǐ sài

古时候有两个识马高手,要进行一次识马比赛。他们来到马厩里,同时看到一匹与众不同的马。从马的眼神中就能看出它的气势,那是一匹难以驾驭的马。

第一个识马高手走到马的前面,指着这匹马肯定地说:"这是一匹好踢人的马,难以驾驭,千万别

kào jìn tā shēn biān   fǒu zé hěn róng yì bèi tā tī shāng   páng biān de rén tīng
靠近它身边，否则很容易被它踢伤 。"旁边的人听

le   fēn fēn cóng mǎ de shēn biān zǒu kāi   shēng pà bèi zhè pǐ liè xìng de mǎ
了，纷纷从马的身边走开，生怕被这匹烈性的马

gěi tī shāng
给踢伤 。

jiù zài zhè shí
就在这时，

lìng yī wèi shí mǎ gāo
另一位识马高

shǒu dà yáo dà bǎi de
手大摇大摆地

kào jìn zhè pǐ mǎ   hái
靠近这匹马，还

yòng shǒu pāi le pāi mǎ
用手拍了拍马

de shēn zi   qí guài de
的身子。奇怪的

shì   zhè pǐ mǎ zhǐ shì
是，这匹马只是

kàn le kàn pāi tā de
看了看拍它的

rén   què yī dòng yě bù
人，却一动也不

dòng   sī háo méi yǒu tī
动，丝毫没有踢

rén de yì si   páng biān de rén zhè cái bǎ gāng cái jǐn zhāng de xīn qíng fàng
人的意思。旁边的人这才把刚才紧张的心情放

sōng xià lái   dì yī gè shí mǎ gāo shǒu jiàn le   yǐ wéi zì jǐ kàn cuò le
松下来。第一个识马高手见了，以为自己看错了，

jiù bù hǎo yì si de dī xià tóu
就不好意思地低下头。

zhè shí   dì èr gè shí mǎ gāo shǒu duì tā shuō   zhè dí què shì yī pǐ
这时，第二个识马高手对他说："这的确是一匹

hào tī rén de mǎ   tā gāng cái méi yǒu tī wǒ   shì yīn wèi qián jiān shòu shāng
好踢人的马。它刚才没有踢我，是因为前肩受伤

了，前腿也肿了。当它踢人时，要抬起后腿，这样全身的重量就会压在前腿上。这匹马正因为前腿有伤，支撑不了全身的重量，所以才抬不起后腿来踢人。你虽然识别了马，却没有发现它的伤。"

第一个识马高手不好意思地说："谢谢你的指点。看来识马需要经验，更需要细致啊。今天，我是服输了。"

寓言一点通

　　这个寓言告诉我们：看问题要全面细致，如果不能看清事物的细节和事物间的相互联系，就得不到正确的答案。生活中，我们如果能学会细致地观察和分析，就会积累更多的经验。

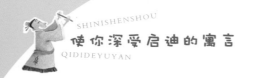

cuì niǎo bān jiā

翠鸟搬家

cuì niǎo mā ma fū dàn de shí hou　bǎ wō zhù zài hěn gāo de shù zhī
翠鸟妈妈孵蛋的时候，把窝筑在很高的树枝
shang　tā xiǎng zhè yàng de huà　nà xiē huài xīn yǎn de rén jiù bù huì zài dǎ
上。它想这样的话，那些坏心眼的人就不会再打
dàn bǎo bao de zhǔ yi le
蛋宝宝的主意了。

hòu lái　xiǎo niǎo men yī gè gè cóng dàn li chū lái le　kàn zhe zhè qún
后来，小鸟们一个个从蛋里出来了。看着这群
kě ài de niǎo bǎo bao　cuì niǎo mā ma zhēn yǒu shuō bù chū de téng ài　dàn yòu
可爱的鸟宝宝，翠鸟妈妈真有说不出的疼爱，但又

duō le yī xiē dān xīn　wō zhù de zhè me
多了一些担心：窝筑得这么
gāo　rú guǒ niǎo bǎo bao yī bù xiǎo xīn
高，如果鸟宝宝一不小心
shuāi xià qù　nà kě bù shì kāi wán xiào
摔下去，那可不是开玩笑
de shì　xiǎng lái
的事！想来
xiǎng qù　wèi le
想去，为了
diǎo bǎo bao de ān
鸟宝宝的安
quán　cuì niǎo mā
全，翠鸟妈
ma jué dìng bān dào
妈决定搬到
dī yī diǎnr de
低一点儿的

dì fang qù ān jiā
地方去安家。

yú shì cuì niǎo mā ma zhǎo le yī kē dī ǎi de shù zài nà lǐ chóng
于是，翠鸟妈妈找了一棵低矮的树，在那里重

xīn ān le yī gè jiā bìng bǎ niǎo bǎo bao yī gè gè jiē dào xīn jiā li zhè
新安了一个家，并把鸟宝宝一个个接到新家里。这

xià cuì niǎo mā ma chū mén shí cái fàng xīn yī xiē
下翠鸟妈妈出门时才放心一些。

yòu guò le xiē rì
又过了些日

zi niǎo bǎo bao men kāi
子，鸟宝宝们开

shǐ gēn zhe mā ma xué xí
始跟着妈妈学习

fēi xíng tā men xué de
飞行，它们学得

hěn rèn zhēn zhōng yú dì
很认真。终于第

yī zhī niǎo bǎo bao huì fēi
一只鸟宝宝会飞

le zhǐ shì hái fēi de
了，只是还飞得

hěn dī kě tā gāo xìng
很低，可它高兴

jí le jiào dào mā
极了，叫道："妈

ma wǒ huì fēi le wǒ huì hé nín yī yàng fēi le
妈，我会飞了，我会和您一样飞了。"

dàn shì cuì niǎo mā ma méi yǒu wèi hái zi gǎn dào gāo xìng fǎn ér gèng
但是，翠鸟妈妈没有为孩子感到高兴，反而更

jiā dān xīn qǐ lái xīn xiǎng hái zi men zhǐ xué huì le yī diǎn diǎn fēi xíng de
加担心起来，心想：孩子们只学会了一点点飞行的

jì néng wàn yī wǒ bù zài jiā de shí hou tā men dú zì fēi xià shù qù yòu
技能，万一我不在家的时候，它们独自飞下树去，又

fēi bù shàng lái nà kě zěn me bàn ne zhè tài wēi xiǎn le wǒ hái shi zài
飞不上来，那可怎么办呢？这太危险了！我还是再

bān yī cì jiā ba　　bān dào gèng dī yī diǎnr　　de dì fang qù　　zhè yàng hái zi
搬一次家吧,搬到更低一点儿的地方去,这样孩子

men yī xià zi jiù kě yǐ cóng dì miàn shang fēi huí jiā li
们一下子就可以从地面上飞回家里。

cuì niǎo mā ma xiǎng hǎo hòu　　jiù dài zhe niǎo bǎo bao men yòu bān le yī
翠鸟妈妈想好后,就带着鸟宝宝们又搬了一

cì jiā　　zhè cì tā men bān dào le gèng dī ǎi de shù zhī shang　　zhī hòu　　cuì
次家。这次它们搬到了更低矮的树枝上。之后,翠

niǎo mā ma ān xīn de fēi chū qù zhǎo shí wù le　　jiù zài zhè shí　　yī gè guò
鸟妈妈安心地飞出去找食物了。就在这时,一个过

lù rén kàn dào shù zhī
路人看到树枝

shang de niǎo wō　　yī tái
上的鸟窝,一抬

shǒu jiù bǎ suǒ yǒu de
手就把所有的

xiǎo niǎo dōu zhuā zǒu le
小鸟都抓走了。

dāng cuì niǎo mā
当翠鸟妈

ma huí lái de shí hou
妈回来的时候,

zhǐ kàn dào yī gè kōng
只看到一个空

niǎo wō
鸟窝。

寓言一点通

　　这个寓言告诉我们:任何事情都有利、弊两个
方面,在作出决定之前,应权衡是利大于弊,还是
弊大于利。只有在利大于弊的情况下,才可行;否
则就会造成严重的后果。

yī lì wān dòu
一粒豌豆

一天，一只猴子外出找食物，找到一大把豌豆，就高高兴兴地捧着豌豆往回走。由于走得太快，它一不小心，将一粒豌豆滚进路边的草丛里。

猴子急了，心想：我好不容易找到一把豌豆，还没吃呢，就掉了一粒，多可惜呀！不行，我一定要把它找回来。于是，它把手里捧着的豆子往地上一放，转身到草丛里去寻找那粒豌豆。可是，豌豆实在太小了，找起来真不容易呀。猴子蹲得腿都发酸了，最后总算在一棵草的根部发现了那粒豌豆。它捡起那

粒豌豆，小心翼翼地捧在手心里，高兴地往回走。

猴子万万没想到的是，就在它找那粒豌豆的时候，正好一群鸡鸭也出来找食吃。它们看见路上放着一堆豌豆，就争先恐后地吃了起来，不一会儿就把那些豌豆吃了个精光，心满意足地离开了。

当猴子兴高采烈地从草丛里钻出来的时候，才发现地上的豌豆全不见了。这到底是怎么回事呢？望着手里唯一一粒豌豆，猴子傻眼了。

寓言一点通

这个寓言告诉我们：做事情要放眼大局，权衡轻重，千万不要只顾眼前小利，而造成因小失大的错误。就像故事中的猴子，为了一粒豌豆却失去了其他所有的豌豆，真是得不偿失呀！

měi lì de kǒng què
美丽的孔雀

kǒng què zhǎng de fēi cháng měi lì tā nà wǔ cǎi bīn fēn de wěi yǔ zhǎn
孔雀长得非常美丽,它那五彩缤纷的尾羽展

kāi shí jiù xiàng yī tiáo měi lì de cháng qún xǔ duō niǎo dōu hěn xiàn mù tā
开时,就像一条美丽的长裙,许多鸟都很羡慕它。

kǒng què yīn cǐ biàn de yuè lái yuè zì yǐ wéi shì jué de zì jǐ shì sēn lín li
孔雀因此变得越来越自以为是,觉得自己是森林里

zuì liǎo bu qǐ de niǎo shì bǎi niǎo zhī wáng
最了不起的鸟,是百鸟之王。

dāng bié de niǎo dōu zài liàn xí fēi xíng huò dào chù zhǎo shí shí kǒng què
当别的鸟都在练习飞行或到处找食时,孔雀

què zài shù xià duó zhe fāng bù gù zuò zī tài tā bù shí de zǒu dào xiǎo hé biān
却在树下踱着方步故作姿态。它不时地走到小河边

xīn shǎng zì jǐ shuǐ zhōng de dào yǐng bù shí de shū lǐ zhe zì jǐ yǐn yǐ wéi
欣赏自己水中的倒影,不时地梳理着自己引以为

háo de yǔ máo yī zhī bái tóu wēng hǎo xīn de
豪的羽毛。一只白头翁好心地

quàn tā měi lì shì nǐ de yōu diǎn dàn shì
劝它:"美丽是你的优点,但是

nǐ bù néng guāng gù zhe měi
你不能光顾着美

lì hái yào nǔ lì liàn xí fēi
丽,还要努力练习飞

xíng xué huì zài bù tóng de
行,学会在不同的

huán jìng zhōng shēng huó nà
环境中生活,那

cái shì zuì zhòng yào de
才是最重要的。"

kě shì kǒng què gēn běn tīng bù jìn zhè xiē
可是孔雀根本听不进这些

quàn gào hái lǐ zhí qì zhuàng de huí dá duì
劝告，还理直气壮地回答："对

yú niǎo lái shuō měi lì cái shì zuì zhòng yào
于鸟来说，美丽才是最重要

de qí tā yòu yǒu shén me yòng bái tóu wēng
的，其他又有什么用。"白头翁

tīng le zhǐ hǎo yáo yáo tóu fēi zǒu le
听了，只好摇摇头飞走了。

yǒu yī tiān xià qǐ le dà yǔ qí tā
有一天，下起了大雨，其他

niǎo dōu fēi dào shù yè mào mì de dì fang huò shù
鸟都飞到树叶茂密的地方或树

dòng li duǒ qǐ lái zhǐ yǒu nà zhī kǒng què tuō
洞里躲起来，只有那只孔雀拖

zhe cháng cháng de wěi yǔ wú chù duǒ cáng jié
着长长的尾羽无处躲藏。结

guǒ cháng cháng de wěi yǔ lín le yǔ hòu biàn de
果长长的尾羽淋了雨后变得

yuè lái yuè chén zhòng shǐ tā zài yě fēi bù qǐ lái le zhè shí yī gè liè
越来越沉重，使它再也飞不起来了。这时，一个猎

rén cóng zhè lǐ jīng guò háo bù fèi lì de jiù bǎ tā zhuā zǒu le cóng cǐ
人从这里经过，毫不费力地就把它抓走了。从此，

kǒng què shī qù le zì yóu chéng le liè rén jiā de lóng niǎo
孔雀失去了自由，成了猎人家的笼鸟。

寓言一点通

　　这个寓言告诉我们：一个人有优点，确实值得自豪。但是如果不能正确对待，让它成了骄傲的资本，那么优点也会走向反面，成为前进中的绊脚石。就像故事中孔雀那引以为豪的尾羽，最终使它失去了自由。

hé jiù de yī yàng
和旧的一样

gǔ shí hou zhèng guó yǒu gè jiào bǔ zǐ de rén kuài guò xīn nián shí duì
古时候，郑国有个叫卜子的人，快过新年时对

qī zi shuō wǒ de kù zi yǐ jīng hěn pò le nǐ gěi wǒ zuò yī tiáo xīn kù
妻子说："我的裤子已经很破了，你给我做一条新裤

zi ba
子吧。"

xíng qī zi shuǎng kuai de dā ying le bù guò nǐ xiǎng zuò chéng
"行。"妻子爽快地答应了，"不过你想做成

shén me yàng zi de bǔ zǐ yī shí xiǎng bù chū shén me xīn shì yàng jiù
什么样子的？"卜子一时想不出什么新式样，就

shuō hé nà tiáo jiù kù zi yī yàng ba
说："和那条旧裤子一样吧。"

qī zi lì kè shàng
妻子立刻上

jiē mǎi le yī kuài gēn zhàng
街买了一块跟丈

fu nà tiáo jiù kù zi de yán
夫那条旧裤子的颜

sè hé zhì dì yī mú yī yàng
色和质地一模一样

de bù rán hòu zhào zhe jiù
的布，然后照着旧

kù zi de dà xiǎo shì yàng
裤子的大小、式样

zuò le yī tiáo xīn kù zi
做了一条新裤子。

kù zi zuò hǎo le qī zi
裤子做好了，妻子

ná zhe liǎng tiáo kù zi zuǒ kàn kàn yòu
拿着两条裤子左看看，右

kàn kàn hái shi jué de xīn zuò de kù
看看，还是觉得新做的裤

zi hé jiù kù zi bù yī yàng dào dǐ
子和旧裤子不一样。到底

nǎ lǐ bù yī yàng ne tā zǐ xì kàn
哪里不一样呢？她仔细看

le yòu kàn xiǎng le yòu xiǎng zhōng
了又看，想了又想，终

yú míng bai le liǎng tiáo kù zi xīn
于明白了：两条裤子新

jiù chéng dù bù yī yàng jiù kù zi
旧程度不一样，旧裤子

chuān jiǔ le yǒu xǔ duō zhě zi hé yī
穿久了有许多褶子和一

xiē xǐ bù qù de wū zì hái yǒu jǐ chù bǔ dīng
些洗不去的污渍，还有几处补丁。

zěn yàng cái néng ràng xīn kù zi hé jiù kù zi zhēn zhèng yī gè yàng
怎样才能让新裤子和旧裤子真正一个样

ne qī zi xiǎng le hěn jiǔ yòu huā le hěn duō shí jiān qù zuò tā xiān bǎ
呢？妻子想了很久，又花了很多时间去做。她先把

xīn kù zi xǐ le yòu xǐ ràng tā tuì sè yòu bǎ tā fàng zài dì shang mó chū
新裤子洗了又洗让它褪色，又把它放在地上磨出

yī xiē xiǎo dòng lái dǎ shàng bǔ dīng bìng yòng lì yā shǐ tā qǐ zhòu zuì
一些小洞来，打上补丁，并用力压使它起皱，最

hòu chī fàn de shí hou gù yì dào shàng yī xiē yóu zì
后吃饭的时候故意倒上一些油渍。

jīng guò zhè yī fān nǔ lì qī zi zài cì bǎ xīn jiù liǎng tiáo kù zi fàng
经过这一番努力，妻子再次把新旧两条裤子放

zài yī qǐ bǐ jiào fā xiàn zhè xià zhēn de yī mú yī yàng le lián tā zì jǐ
在一起比较，发现这下真的一模一样了，连她自己

yě fēn bù chū nǎ tiáo shì xīn de nǎ tiáo shì jiù de yú shì tā mǎn xīn huān
也分不出哪条是新的，哪条是旧的。于是，她满心欢

xǐ de bǎ kù zi jiāo gěi zhàng fu qiáo wǒ àn nǐ de huà zuò le yī tiáo
喜地把裤子交给丈夫："瞧，我按你的话做了一条

gēn jiù de yī mú yī yàng de kù zi　nǐ kuài shì shì ba
跟旧的一模一样的裤子，你快试试吧。"

bǔ zǐ kàn zhe shǒu li zhè tiáo yòu zāng yòu jiù de kù zi shuō　zhè jiù
卜子看着手里这条又脏又旧的裤子说："这就

shì nǐ gěi wǒ zuò de xīn kù zi　qī zi jiě shì shuō　shì a　wǒ shì àn
是你给我做的新裤子？"妻子解释说："是啊，我是按

nǐ de yāo qiú zuò de
你的要求做的。"

qī zi yǐ wéi zhàng fu yī dìng huì gāo xìng de bù dé liǎo　méi xiǎng dào
妻子以为丈夫一定会高兴得不得了，没想到

tā shēng qì de shuō　tiān xià zěn me huì yǒu nǐ zhè me bèn de nǚ rén na
他生气地说："天下怎么会有你这么笨的女人哪！"

寓言一点通

　　这个寓言告诉我们：思想、方法过于古板，做事情就会犯片面、狭隘的错误，甚至不惜破坏新的，恢复旧的，最后干了蠢事还自以为了不起，很有价值。这样的人真是又可悲又可气。

ràng lín jū qù tòng
让邻居去痛

gǔ shí hou　yǒu gè nán zǐ de jiǎo shang zhǎng le
古时候，有个男子的脚上长了
yī gè dú chuāng　yīn wèi méi yǒu jí shí yī zhì　dú
一个毒疮，因为没有及时医治，毒
chuāng yuè lái yuè lì hai　tòng de tā fàn yě chī bù xià
疮越来越厉害，痛得他饭也吃不下，
jiào yě shuì bù hǎo　jiā rén kàn tā tòng kǔ nán rěn de yàng
觉也睡不好。家人看他痛苦难忍的样
zi　jiù quàn shuō dào　　nǐ zhè yàng zhǐ huì yuè lái yuè zāo
子，就劝说道："你这样只会越来越糟
gāo　hái shi qù yī shēng nà lǐ zhěn zhì yī xià ba
糕，还是去医生那里诊治一下吧！"

nán zǐ yáo yáo tóu shuō　　dào le yī shēng nàr
男子摇摇头说："到了医生那儿
bù shì chī yào jiù shì dòng dāo　yě shì jiàn hěn tòng kǔ de
不是吃药就是动刀，也是件很痛苦的
shì qing　ér qiě hái yào fù gěi tā qián　zhēn shì huá bu
事情，而且还要付给他钱，真是划不
lái　wǒ cái bù qù ne　nán zǐ xiǎng le xiǎng yòu shuō
来，我才不去呢。"男子想了想又说：
wǒ dào shì yǒu gè bàn fǎ
"我倒是有个办法。"

jiā rén jí zhe wèn　shén me bàn fǎ ya
家人急着问："什么办法呀？"

nán zǐ zhǐ le zhǐ qiáng bì shuō　nǐ men kuài zài
男子指了指墙壁说："你们快在
nà ge qiáng bì shang záo yī gè dòng　bù yòng tài dà
那个墙壁上凿一个洞，不用太大，

zhǐ yào ràng wǒ de jiǎo néng shēn guò
只要让我的脚能伸过

qù jiù xíng zhè yàng dào le wǎn
去就行。这样，到了晚

shang wǒ jiù bǎ wǒ de jiǎo shēn dào
上，我就把我的脚伸到

lín jū jiā qù nán zǐ yī biān
邻居家去。"男子一边

shuō yī biān àn zì dé yì
说，一边暗自得意。

jiā rén qí guài de wèn bǎ
家人奇怪地问："把

jiǎo shēn dào lín jū jiā qù gàn shén
脚伸到邻居家去干什

me zhè gēn zhì liáo dú chuāng yǒu shén me guān xì ne
么？这跟治疗毒 疮 有什么关系呢？"

nán zǐ zhèn zhèn yǒu cí de shuō wǒ bǎ jiǎo shēn dào lín jū jiā chuāng
男子振振有词地说："我把脚伸到邻居家，疮

yě dào le lín jū jiā jiù kě yǐ ràng tā làn zài lín jū jiā ràng lín jū qù
也到了邻居家，就可以让它烂在邻居家，让邻居去

tòng ba
痛吧。"

kě xī dāng nán zǐ bǎ jiǎo shēn jìn lín jū jiā hòu bù dàn téng tòng méi
可惜当男子把脚伸进邻居家后，不但疼痛没

yǒu jiǎn qīng jiǎo shang de dú chuāng fǎn ér yuè lái yuè yán zhòng zuì hòu shòu
有减轻，脚上的毒 疮 反而越来越严重，最后受

kǔ de hái shi zì jǐ
苦的还是自己。

寓言一点通

　　这个寓言告诉我们：存在的问题并不因为你看不见它或不承认它就会消失。遇到问题时，一定要以积极主动的态度去面对，一味消极地回避，只会造成更坏的结果。

bèi yuān wang de gē shǒu
被冤枉的歌手

sēn lín li zhù zhe shī wáng　shī wáng xǐ huan tīng yīn yuè　yī tiān　hú
森林里住着狮王，狮王喜欢听音乐。一天，狐

li wèi le tǎo hǎo shī wáng　tè yì wèi shī wáng ān pái le yī gè yīn yuè huì
狸为了讨好狮王，特意为狮王安排了一个音乐会，

qǐng bǎi líng niǎo hé yè yīng liǎng wèi chàng gē
请百灵鸟和夜莺两位唱歌

néng shǒu wèi shī wáng yǎn chàng
能手为狮王演唱。

miàn duì zūn jìng de shī wáng　bǎi líng
面对尊敬的狮王，百灵

niǎo chàng de bǐ rèn hé yī cì dōu yòng xīn
鸟唱得比任何一次都用心，

hū ér wǎn zhuǎn zhōu jiū　hū ér xiǎng chè
忽而婉转啁啾，忽而响彻

yún xiāo　shēng yīn fēi cháng měi miào dòng
云霄，声音非常美妙动

tīng　jǐn guǎn gē shēng wú bǐ yōu měi　dàn
听。尽管歌声无比优美，但

hú li fā xiàn　xǐ ài
狐狸发现，喜爱

yīn yuè de shī wáng tīng
音乐的狮王听

bǎi líng niǎo chàng gē
百灵鸟唱歌

shí　liǎn shang jìng rán
时，脸上竟然

méi yǒu yī sī xiào yì
没有一丝笑意，

有时反而把身子转过去，一脸难受的样子。这到底是什么原因呢？狐狸想：难道狮王不喜欢听百灵鸟的歌，还是觉得百灵鸟唱得不用心呢？于是赶紧让百灵鸟停止歌唱，换夜莺上场。

可是那天，夜莺动听的歌声也没有使狮王变得开心。狮王仍然皱着眉头，一声不吭。这到底是为什么呢？狐狸不明白，但它相信一定是狮王对它们的演唱不满意。

这时，狮王好像坐立不安，一会儿站起来，一会儿又坐下去。无论夜莺怎么用心歌唱，狮王都无心欣赏。狐狸也跟着坐立不安，不知如何是好。

忽然，狮王一抖鬣毛，从座位上站起来，没听完夜莺唱歌就离开了。

狐狸看到这里，大声训斥道："你们都是些什么歌手，唱的都是什么歌，真是五音不全，把爱听音乐的狮大王都给气跑了。看我回来怎么收拾你们！"

可是谁也没想到，狮王匆匆离去的原因并不是那些鸟的歌唱得不好听，而是那天狮大王饮食过量，肚子痛得厉害，急着要上厕所，才不得不离开了。这真是狐狸没想到的。

寓言一点通

这个寓言告诉我们：那些拍马奉承的人，总会绞尽脑汁，想方设法地猜想别人的心思，却忽略了最重要的事实真相，从而闹出许多笑话来。生活中，这样的人是不可能受人尊重的。

为猫取名
wèi māo qǔ míng

古时候，有个叫乔奄的人，养了一只猫，特别喜欢。他觉得这只猫长得像老虎，老虎勇猛威武，就给它取名"虎猫"。

一天，乔奄把给猫取名字的事说给朋友听，想听听大家的意见。一位朋友对他说："老虎的确很勇猛，但不如龙神奇，你不如给它改名叫'龙猫'。"乔奄听了觉得很有道理，正准备接受这个名字。这时，另一位朋友说道："龙固然比老虎神奇，但龙必须浮在云彩之

shàng cái néng shēng kōng   suǒ yǐ yún cai yīng gāi chāo guò lóng   bù rú
上才能升空，所以云彩应该超过龙，不如

gǎi míng jiào   yún māo   qiáo yǎn tīng le yě jué de yǒu dào lǐ
改名叫'云猫'。"乔奄听了也觉得有道理。

　　yòu yī wèi péng you shuō   bié kàn yún néng zhē zhù tiān kōng
又一位朋友说："别看云能遮住天空，

dàn fēng néng hěn kuài bǎ tā men chuī sàn   yún cai gēn běn bù shì fēng de
但风能很快把它们吹散，云彩根本不是风的

duì shǒu   bù rú gǎi míng jiào   fēng māo   zhè xià qiáo yǎn bù zhī
对手，不如改名叫'风猫'。"这下乔奄不知

dào tīng shéi de hǎo le
道听谁的好了。

　　hái yǒu yī wèi péng you tí chū   zài dà de fēng   qiáng dōu
还有一位朋友提出："再大的风，墙都

néng bǎ tā dǎng zhù   fēng zěn me néng hé qiáng bǐ ne   wǒ kàn hái
能把它挡住，风怎么能和墙比呢？我看还

shi jiào   qiáng māo   ba   qiáo yǎn tīng le   gèng hú tu le   zuì
是叫'墙猫'吧。"乔奄听了，更糊涂了。最

hòu yī wèi péng you shuō   qiáng suī rán jiān gù   dàn lǎo shǔ què néng zài qiáng
后一位朋友说："墙虽然坚固，但老鼠却能在墙

shang dǎ dòng   suǒ yǐ yīng gāi jiào   shǔ māo
上打洞，所以应该叫'鼠猫'。"

　　páng biān yī wèi lǎo rén tīng le tā men de huà   bù jīn xiào dào   nǐ
旁边一位老人听了他们的话，不禁笑道："你

men shuō le bàn tiān   hái shi māo zuì lì hai   māo néng dǎi zhù shǔ wa   māo jiù
们说了半天，还是猫最厉害，猫能逮住鼠哇。猫就

shì māo   wèi shén me yào ràng tā shī qù zì jǐ běn lái de míng zi ne
是猫，为什么要让它失去自己本来的名字呢。"

寓言一点通

　　这个寓言告诉我们：抓住本质的东西才是最
关键的。如果总是在虚幻的事情上花很多的心思，
到头来都是一场无用功。

qí lǘ de fù zǐ
骑驴的父子

一天，父子俩赶着驴到集市去。没走多远，他们遇到一群在河边洗衣服的妇女。妇女看到父子俩，就笑了起来："看，多傻的人哪，有驴不骑，却用脚在走，哈哈哈。"父亲听了这话，觉得有道理，就赶紧叫儿子骑上驴，自己在后面跟着。

没走多远，他们又遇到一位正在地里干农活的老人。老人见儿子骑在驴上舒服、自在的样子，就摇着头说："如今的孩子就是这样，

一点儿不知道尊敬长辈。自己骑着驴，却不知道年纪大的父亲有多辛苦。"听了这话，儿子马上从驴背上跳下来，让父亲骑上去，自己跟在后面。

可没走多远，他们又碰到一位年轻的妈妈正抱着孩子在晒太阳。她看到这对父子，就指着驴背上的父亲说："嘿，天下怎么会有这样的父亲，自己骑着驴倒是舒服、自在，却让这么小的孩子跟着一路走，真不像话。"父亲听了，就把儿子也抱上驴背。

这样走了一段路，一个男子看到这个情景，就好奇地问父亲："朋友，驴是你自己家的吗？"

"是啊，怎么了？"父亲不解地问。

那人说："哪有像你们这样对待自家驴的呀？你们这么大两个人同时骑在驴背上，想把它压死吗？倒是你

men liǎ tái zhe tā　yào bǐ tā tuó
们俩抬着它，要比它驮

zhe nǐ men liǎng gè gèng shěng lì
着你们两个更省力。"

méi xiǎng dào nà rén shuō de
没想到那人说的

wán xiào huà　fù zǐ liǎ dàng zhēn
玩笑话，父子俩当真

le　tā men lì kè
了。他们立刻

cóng lǘ bèi shang tiào
从驴背上跳

xià lái　bǎ lǘ de
下来，把驴的

sì tiáo tuǐ yòng shéng
四条腿用绳

zi kǔn zài yī qǐ
子捆在一起，

tái zhe tā zǒu xiàng jí shì　rén men jiàn le　dōu hā hā dà xiào qǐ lái
抬着它走向集市。人们见了，都哈哈大笑起来。

fù zǐ liǎ yě bù zài lǐ huì tā men　yī zhí wǎng qián zǒu　lǘ què jiē
父子俩也不再理会他们，一直往前走。驴却接

shòu bù liǎo zhè zhǒng bèi tái zhe zǒu de qí guài fāng shì　shǐ jìn de zhēng zhá
受不了这种被抬着走的奇怪方式，使劲地挣扎，

jié guǒ diào jìn le hé li
结果掉进了河里。

寓言一点通

　　这个寓言告诉我们：同一件事情站在不同的角度看，会有不同的结果。如果我们不经过自己的思考，总是一味听信别人的意见，就会无所适从，闹出许多笑话。

好古董的秦国人

hào gǔ dǒng de qín guó rén

　　有个秦国人爱收集各种古董，还常常把家里的东西换成自己喜爱的古董。

　　有一天，一个人拿了一张破得不成样的席子找到秦国人，对他说："你知道这是谁用过的席子吗？"秦国人看了看那张破席子，摇摇头。那人就把他拉到一边，神秘地说："告诉你吧，这是圣人孔子用过的。你千万别告诉别人，天下可只有这一张啊。"

　　秦国人一听，信

yǐ wéi zhēn jiù yòng zì jǐ suǒ yǒu de tián dì mǎi xià zhè zhāng pò xí zi
以为真，就用自己所有的田地买下这张破席子。

　　guò le liǎng tiān yòu yǒu rén ná le yī gēn jiù guǎi zhàng zhǎo dào qín guó
　　过了两天，又有人拿了一根旧拐杖找到秦国

rén shuō wǒ zhī dào zhǐ yǒu nǐ zhī dào zhè gēn guǎi zhàng de yóu lái
人，说："我知道，只有你知道这根拐杖的由来。"

qín guó rén kàn le kàn nà gēn guǎi zhàng shuō hǎo xiàng yǒu xiē tè bié dàn
秦国人看了看那根拐杖，说："好像有些特别，但

wǒ hái shi bù zhī dào tā
我还是不知道它

de chū chù nà rén biàn
的出处。"那人便

shuō zhè kě shì zhōu
说："这可是周

tài wáng táo nàn shí zhǔ guo
太王逃难时拄过

de nián dài fēi cháng jiǔ
的，年代非常久

yuǎn le hěn zhí qián de
远了，很值钱的。"

qín guó rén yě xìn yǐ wéi
秦国人也信以为

zhēn háo bù yóu yù de
真，毫不犹豫地

yòng zì jǐ suǒ yǒu de qián
用自己所有的钱

cái mǎi xià zhè gēn jiù guǎi zhàng
财，买下这根旧拐杖。

　　yòu guò le jǐ tiān yǒu rén pěng le yī zhī jǐ hū fǔ làn de mù wǎn duì
　　又过了几天，有人捧了一只几乎腐烂的木碗对

qín guó rén shuō zhè shì xià cháo shí de yí wù quán guó zhǎo bù dào dì èr
秦国人说："这是夏朝时的遗物，全国找不到第二

zhī rú guǒ bù mǎi jiù tài kě xī le qín guó rén tīng le èr huà bù shuō
只，如果不买就太可惜了。"秦国人听了，二话不说

jiù zhǔn bèi mǎi xià zhè zhī pò de bù chéng yàng de mù wǎn kě shì tā yǐ
就准备买下这只破得不成样的木碗。可是，他已

经没有钱财也没有田地了，只好用自己的房子买下了这只破木碗。

结果，这个爱好收集古董的秦国人成了身无分文的穷汉：房子没了，田地没了，钱财也没了，只有他买来的那张破席子、那根旧拐杖和那只破木碗。秦国人只能披着破席子，拄着旧拐杖，捧着破木碗，在大街上流浪，饿了就一路沿街要饭，累了就用破席子一铺，睡在马路上。可是，执迷不悟的他还喃喃自语："要是哪位好心人赐给我一枚姜太公铸的古钱，我就心满意足了。"

寓言一点通

这个寓言告诉我们：喜爱并收集某一事物要量力而行，过分痴迷就会玩物丧志，而不顾实际状况就会走向反面，甚至误入歧途，结果肯定是可悲的。

金钩桂饵

鲁国有个有钱的财主，很喜欢钓鱼，只可惜他的钓鱼技术实在不怎么样。财主为了表现自己的富有和与众不同，请人精心制作了一副非常特别的渔具：鱼钩是用金灿灿的黄金做成的；鱼线是用亮闪闪的银丝和青绿色的玉线做成的；上面竟然用了无数透明的翡翠做装饰，十分精美华丽，简直就像一件上等的工艺品。他使用的鱼饵也与众不同：不是蚯蚓之类的一般食物，而是特意请人从很远的地方运来的一种叫肉桂的名贵香料。

有了如此特别的渔具和名贵的鱼饵，鲁国财主就以为能轻而易举地钓起很多

yú　shèn zhì kě　yǐ diào dào yǔ zhòng bù tóng de　yú　lái
鱼，甚至可以钓到与众不同的鱼来。

yī　cì　　tā hé péng you yī　qǐ chū qù diào yú　　jié guǒ péng you yòng zuì
一次，他和朋友一起出去钓鱼，结果朋友用最

pǔ tōng de yú jù diào dào le xǔ duō dà yú　　kě shì zhè ge lǔ guó cái zhu yòng
普通的渔具钓到了许多大鱼，可是这个鲁国财主用

yǔ zhòng bù tóng de yú jù　　zhǐ diào dào hěn shǎo de jǐ tiáo xiǎo yú　lǔ guó cái
与众不同的渔具，只钓到很少的几条小鱼。鲁国财

zhu duì cǐ fēi cháng shī wàng　　zì yán zì yǔ de shuō　　ài　　wǒ zhàn de dì
主对此非常失望，自言自语地说："唉，我站的地

fang bù cuò　ná de yú jù yě bù cuò　yú ěr gèng shì bù cuò　shèn zhì wǒ
方不错，拿的渔具也不错，鱼饵更是不错，甚至我

de zī shì yě hěn bù cuò　kě shì wèi shén me yú bù shàng gōu ne
的姿势也很不错，可是为什么鱼不上钩呢？"

péng you tīng le　　xiào zhe shuō　　nǐ suǒ jù yǒu de zhè xiē dōu bù shì
朋友听了，笑着说："你所具有的这些都不是

zuì zhòng yào de　　lǔ guó cái zhu wèn　　nà shén me cái shì zuì zhòng yào de
最重要的。"鲁国财主问："那什么才是最重要的

ne　　péng you huí dá　　diào yú de jì shù hé fāng fǎ cái shì zuì zhòng yào
呢？"朋友回答："钓鱼的技术和方法才是最重要

de ya　　kě yǒu qián de lǔ guó cái zhu cóng lái méi xiǎng guo zhè ge zuì zhòng
的呀！"可有钱的鲁国财主从来没想过这个最重

yào de wèn tí
要的问题。

寓言一点通

　　这个寓言告诉我们：做一件事情要想获得成功，靠的是真才实学和技术技能。如果不从实际效果考虑，只是一味追求形式，那么即使形式再好，也不能带来实际的好效果。

jīn zi hé shí tou
金子和石头

古时候，有个人非常喜欢钱财。虽然家里有许多金银财宝，但他依然省吃俭用，一个铜钱都舍不得花。

他在自家院子里的树下藏了满满一坛金子，只要一有空，就兴致勃勃地把那坛金子挖出来，搬到屋子里，然后关紧大门，一个人偷偷地把所有的金子拿出来欣赏一遍，再细数一遍，最后又一块一块地放回去。看着满满一坛金子，他感到非常满足，自言自语地说："

à wǒ yǒu zhè me duō jīn zi zhēn shì tài fù yǒu tài xìng fú le
啊，我有这么多金子，真是太富有、太幸福了！"

tā de lǎo po tīng jiàn le qí guài de wèn wǒ men zěn me huì yǒu zhè
他的老婆听见了，奇怪地问："我们怎么会有这

me duō jīn zi a zhè xià hǎo le bǎ zhè xiē jīn zi ná chū lái huā wǒ men
么多金子啊？这下好了，把这些金子拿出来花，我们

jiù kě yǐ guò shàng hǎo rì zi le zhè rén yī tīng shēng qì de shuō nǐ
就可以过上好日子了！"这人一听，生气地说："你

yī gè fù dào rén jia dǒng shén me ya jīn zi shì yòng lái huā de ma huā
一个妇道人家，懂什么呀！金子是用来花的吗？花

wán le jiù méi yǒu le nà shí wǒ ná shén me lái kàn na shuō zhe bǎ lǎo
完了，就没有了，那时我拿什么来看哪。"说着把老

po gǎn zǒu yòu qiāo qiāo de bǎ jīn zi cáng dào shù xià
婆赶走，又悄悄地把金子藏到树下。

kě shì yǒu yī tiān dāng tā bǎ shù xià de tán zi wā chū lái kàn shí
可是有一天，当他把树下的坛子挖出来看时，

zhēn shì xià le yī tiào mǎn mǎn de yī tán jīn zi quán biàn chéng le shí tou
真是吓了一跳：满满的一坛金子全变成了石头。

tā dāi zuò zài nà lǐ bù
他呆坐在那里，不

zhī rú hé shì hǎo
知如何是好。

zhèng hǎo yī gè péng
正好一个朋

you lù guò wèn tā fā
友路过，问他发

shēng le shén me shì zhè
生了什么事。这

rén kū zhe shuō wǒ běn
人哭着说："我本

lái yǒu yī tán jīn zi bù
来有一坛金子，不

zhī dào shéi bǎ wǒ de jīn
知道谁把我的金

zi tōu zǒu le xiàn zài
子偷走了，现在

biàn chéng le yī tán shí tou zhè jiào wǒ zěn me bàn na
变成了一坛石头。这叫我怎么办哪？"

péng you wèn nǐ xiǎng yòng zhè xiē jīn zi zuò
朋友问："你想用这些金子做

shén me ya
什么呀？"

zhè rén shuō wǒ yě
这人说："我也

bù yòng tā zuò shén me zhǐ
不用它做什么，只

shì mái zài zhè lǐ yǒu shí jiān
是埋在这里，有时间

ná chū lái kàn yī xià xīn lǐ
拿出来看一下，心里

jiù tā shi le
就踏实了。"

péng you shuō jīn zi
朋友说："金子

méi le nǐ zài shāng xīn yě
没了，你再伤心也

méi yǒu yòng hé kuàng nǐ yě
没有用。何况你也

bù yòng shāng xīn nǐ de jīn zi yě jiù shì ná lái kàn kàn bìng bù ná lái
不用伤心，你的金子也就是拿来看看，并不拿来

yòng xiàn zài huàn chéng le yī tán shí tou nǐ zhào yàng kě yǐ ná lái kàn
用。现在换成了一坛石头，你照样可以拿来看，

zhǐ yào bǎ tā dàng chéng jīn zi jiù xíng le
只要把它当成金子就行了。"

寓言一点通

　　这个寓言告诉我们：事物的实际价值，在于它是否具有真实的作用。有用的东西，当然值得珍爱。如果只作为一种摆设，用来满足自己的虚荣心，那就失去它原有的价值了。

hóu zi lāo yuè liang
猴子捞月亮

树林里住着一群猴子。一个夏天的晚上，猴子们一起来到一棵树下玩耍。树下有一口井，一只猴子好奇地往井里张望。忽然它看到井里竟然有个月亮，就害怕地大叫起来："不好啦，不好啦，月亮掉到井里了，月亮掉到井里了！"

听到同伴的呼喊声，猴子们都围了过来，挤在一起往井里瞧，都大吃一惊："哎呀，井里真的有个月亮啊！"

"月亮怎么会掉到井里呢？天上没有了月亮，晚上会变得黑乎乎的，那可

zěn me bàn na
怎么办哪？"

yī zhī hóu zi tí yì   yuè liang yīng
一只猴子提议："月亮应

gāi zài tiān shàng cái duì   wǒ men yī dìng yào
该在天上才对，我们一定要

xiǎng bàn fǎ bǎ yuè liang jiù shàng lái
想办法把月亮救上来。"

hóu zi men wéi zài yī qǐ   shāng liang
猴子们围在一起，商量

zěn yàng bǎ yuè liang jiù shàng lái
怎样把月亮救上来。

yī zhī lǎo hóu zi chū zhǔ yi   wǒ
一只老猴子出主意："我

tiào dào shù shang   yòng wěi ba gōu zhù shù
跳到树上，用尾巴钩住树

zhī   rán hòu wǒ yòng shuāng shǒu zhuā zhù lìng
枝，然后我用双手抓住另

yī zhī hóu zi de wěi ba   zhè yàng wǒ men
一只猴子的尾巴，这样我们

yī gè jiē yī gè de lián xià qù   yī zhí
一个接一个地连下去，一直

lián dào jǐng li   jiù néng bǎ yuè liang jiù
连到井里，就能把月亮救

shàng lái le
上来了。"

hóu zi men dōu jué de zhè ge zhǔ yi
猴子们都觉得这个主意

bù cuò   yú shì   lǎo hóu zi pá dào shù shang   rán hòu hóu zi men yī gè jiē
不错。于是，老猴子爬到树上，然后猴子们一个接

yī gè de lián xià qù   chuàn chéng cháng cháng de yī chuàn
一个地连下去，串成长长的一串。

zuì xià miàn de yī zhī hóu zi zhǔn bèi yòng shuāng shǒu qù lāo shuǐ li de
最下面的一只猴子准备用双手去捞水里的

yuè liang   kě shì dāng tā de shǒu yī pèng dào yuè liang shí   yuè liang jiù suì
月亮，可是当它的手一碰到月亮时，月亮就碎

了。"哎呀，月亮碎了，月亮碎了，再也捞不起来了！"猴子们大叫着，乱成一团。

大家都怪那只猴子的动作太重，把月亮弄碎了。当它们沮丧地回到地面时，有只猴子抬起头，竟然发现月亮好好地在天上。它高兴地大叫起来："你们快看，月亮不是在天上吗？"猴子们纷纷抬起头，看到月亮真的在天上，而且又圆又亮，一点儿也没碎。

寓言一点通

　　这个寓言告诉我们：在日常生活中，不善于观察，也没有一定知识经验的人，总会闹出这样那样的笑话，就像故事中的那群猴子，费了好大的劲却做了一件可笑的事情。

楚人怕鬼
chǔ rén pà guǐ

有个胆小的楚国人，特别害怕传说中的鬼，一到晚上，就不敢出门了。

有个专干小偷小摸的邻居知道了，就动起了歪脑筋，心想：如果我装扮成鬼到他家去，也许能偷到一些东西。一天，这个邻居在深夜悄悄地溜进楚国人的家里，

嘴里"咿咿呀呀"地乱叫一阵，装起鬼来。胆小的楚国人听了毛骨悚然，大叫一声："啊，是鬼！"吓得钻进被窝里直打战，一点儿不敢出声。

这个小偷见状，就放心大胆地在楚国人的家里翻箱倒柜，把所有值钱的东西都搬了出来，然后大摇大摆地把这些东西搬回到自己的家里。

第二天，胆小的楚国人对朋友说："太可怕了，昨天我家里真的来鬼了呀。"

"哪来的鬼呀，都是你自己吓自己！"朋友们都不相信他的话，因为大家都知道他是个胆小鬼。

"你们还不相信哪！你看，鬼把我家里的东西都搬走了。幸好我躲在被子里，才没被带走。"胆小的楚国人边说，边拉着朋友到他空荡荡的家里看。

"那是你的家里进小偷了，赶紧报官吧。"好心的朋友劝说道。

"是鬼拿了我家里的东西，报什么官哪，官是抓不住鬼的。再说如果我报官了，鬼更要找

我了。"胆小的楚国人认定家里的东西是被鬼拿走的。

后来，有人偶然发现邻居家里有楚国人的东西，就跑来告诉他："你知道你家里的东西是谁偷走的吗？是你的邻居哇！我们都看到了，你快去报官，把这件事好好查一查吧。"

可是，胆小的楚国人哪里会相信，他说："那天我家的东西真的是鬼拿走的。至于它们怎么会到邻居家里的，我也不知道，可能是鬼拿走后不要了送给他的。"好心人听了他的话直摇头："你真是鬼迷心窍，无药可救了。"

寓言一点通

　　这个寓言告诉我们：心里有鬼，就会鬼迷心窍，不但会让骗局轻易得逞，而且即使别人识破了骗局，自己仍会执迷不悟。一个人只有心中不怕鬼，才能以正压邪。

bèi fāng rén chī líng jiao
北方人吃菱角

gǔ shí hou yǒu gè rén cóng xiǎo shēng zhǎng zài bèi fāng cóng méi yǒu jiàn
古时候，有个人从小生长在北方，从没有见

guo líng jiao gèng méi yǒu chī guo líng jiao hòu lái tā lái dào nán fāng zuò guān
过菱角，更没有吃过菱角。后来，他来到南方做官。

yǒu yī nián líng jiao shōu huò de jì jié yī gè péng you sòng lái yī bāo
有一年，菱角收获的季节，一个朋友送来一包

líng jiao dà jiā jiù zuò zài xí shang kāi shǐ chī líng jiao zhè ge bèi fāng rén bù
菱角。大家就坐在席上开始吃菱角。这个北方人不

zhī dào líng jiao zěn me chī jiù lián ké yī qǐ fàng jìn zuǐ li yǎo le qǐ lái
知道菱角怎么吃，就连壳一起放进嘴里咬了起来。

tā jué de líng jiao yòu yìng yòu sè zhēn bù hǎo chī dàn yīn ài yú miàn zi bù
他觉得菱角又硬又涩，真不好吃，但因碍于面子不

hǎo shuō yú shì zhòu qǐ le méi tóu
好说，于是皱起了眉头。

páng biān de péng you kàn
旁边的朋友看

dào tā zhè fù yàng zi jiù hǎo
到他这副样子，就好

xīn de tí xǐng tā chī líng jiao
心地提醒他："吃菱角

yào bǎ wài miàn de ké qù diào
要把外面的壳去掉。"

bèi fāng rén pà bié rén xiào
北方人怕别人笑

hua tā lián líng jiao dōu bù huì chī
话他连菱角都不会吃，

jiù gù yì zhǎo le gè jiè kǒu yǎn
就故意找了个借口掩

饰说："我这几天体内火重，我是想用这又苦又涩的壳来清火啊。"

"哦，原来是这样啊。"旁边的朋友接着问道，"那你的家乡有这种菱角吗？"

北方人见别人相信了他的话，就扬扬自得地笑着说："这种菱角在我的家乡可多了，每到收获季节，山前、山后的树上到处都是，想采多少都可以。"

听了他的话，大家都哈哈大笑起来，只有北方人不明白大家为什么而笑。原来呀，菱角并不是长在树上，而是长在水里的。

寓言一点通

这个寓言告诉我们：一个人不懂并不可怕，可怕的是不懂装懂。故事中的北方人就是因为不懂装懂，才闹出了笑话。

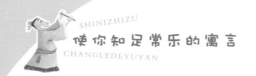
<ruby>吃<rt>chī</rt></ruby> <ruby>得<rt>de</rt></ruby> <ruby>太<rt>tài</rt></ruby> <ruby>饱<rt>bǎo</rt></ruby> <ruby>的<rt>de</rt></ruby> <ruby>狐<rt>hú</rt></ruby> <ruby>狸<rt>li</rt></ruby>

<ruby>有<rt>yǒu</rt></ruby> <ruby>只<rt>zhī</rt></ruby> <ruby>狐<rt>hú</rt></ruby> <ruby>狸<rt>li</rt></ruby> <ruby>已<rt>yǐ</rt></ruby> <ruby>经<rt>jīng</rt></ruby> <ruby>好<rt>hǎo</rt></ruby> <ruby>几<rt>jǐ</rt></ruby> <ruby>天<rt>tiān</rt></ruby> <ruby>没<rt>méi</rt></ruby> <ruby>吃<rt>chī</rt></ruby> <ruby>东<rt>dōng</rt></ruby> <ruby>西<rt>xi</rt></ruby> <ruby>了<rt>le</rt></ruby> ， <ruby>它<rt>tā</rt></ruby> <ruby>饿<rt>è</rt></ruby> <ruby>着<rt>zhe</rt></ruby> <ruby>肚<rt>dù</rt></ruby> <ruby>子<rt>zi</rt></ruby>

<ruby>四<rt>sì</rt></ruby> <ruby>处<rt>chù</rt></ruby> <ruby>找<rt>zhǎo</rt></ruby> <ruby>吃<rt>chī</rt></ruby> <ruby>的<rt>de</rt></ruby> ， <ruby>终<rt>zhōng</rt></ruby> <ruby>于<rt>yú</rt></ruby> <ruby>在<rt>zài</rt></ruby> <ruby>一<rt>yī</rt></ruby> <ruby>棵<rt>kē</rt></ruby> <ruby>大<rt>dà</rt></ruby> <ruby>树<rt>shù</rt></ruby> <ruby>的<rt>de</rt></ruby> <ruby>树<rt>shù</rt></ruby> <ruby>洞<rt>dòng</rt></ruby> <ruby>里<rt>li</rt></ruby> <ruby>找<rt>zhǎo</rt></ruby> <ruby>到<rt>dào</rt></ruby> <ruby>了<rt>le</rt></ruby> <ruby>散<rt>sàn</rt></ruby>

<ruby>发<rt>fā</rt></ruby> <ruby>着<rt>zhe</rt></ruby> <ruby>香<rt>xiāng</rt></ruby> <ruby>味<rt>wèi</rt></ruby> <ruby>的<rt>de</rt></ruby> <ruby>面<rt>miàn</rt></ruby> <ruby>包<rt>bāo</rt></ruby> <ruby>和<rt>hé</rt></ruby> <ruby>香<rt>xiāng</rt></ruby> <ruby>肠<rt>cháng</rt></ruby> 。

<ruby>洞<rt>dòng</rt></ruby> <ruby>口<rt>kǒu</rt></ruby> <ruby>很<rt>hěn</rt></ruby> <ruby>小<rt>xiǎo</rt></ruby> ， <ruby>狐<rt>hú</rt></ruby> <ruby>狸<rt>li</rt></ruby> <ruby>费<rt>fèi</rt></ruby> <ruby>了<rt>le</rt></ruby> <ruby>好<rt>hǎo</rt></ruby> <ruby>大<rt>dà</rt></ruby> <ruby>的<rt>de</rt></ruby> <ruby>劲<rt>jìn</rt></ruby> <ruby>才<rt>cái</rt></ruby> <ruby>挤<rt>jǐ</rt></ruby> <ruby>进<rt>jìn</rt></ruby> <ruby>去<rt>qù</rt></ruby> 。 <ruby>面<rt>miàn</rt></ruby> <ruby>对<rt>duì</rt></ruby>

<ruby>诱<rt>yòu</rt></ruby> <ruby>人<rt>rén</rt></ruby> <ruby>的<rt>de</rt></ruby> <ruby>食<rt>shí</rt></ruby> <ruby>物<rt>wù</rt></ruby> ， <ruby>狐<rt>hú</rt></ruby> <ruby>狸<rt>li</rt></ruby> <ruby>顾<rt>gù</rt></ruby> <ruby>不<rt>bu</rt></ruby> <ruby>得<rt>de</rt></ruby>

<ruby>身<rt>shēn</rt></ruby> <ruby>上<rt>shang</rt></ruby> <ruby>被<rt>bèi</rt></ruby> <ruby>挤<rt>jǐ</rt></ruby> <ruby>破<rt>pò</rt></ruby> <ruby>皮<rt>pí</rt></ruby> <ruby>的<rt>de</rt></ruby> <ruby>疼<rt>téng</rt></ruby> <ruby>痛<rt>tòng</rt></ruby> ，

<ruby>一<rt>yī</rt></ruby> <ruby>把<rt>bǎ</rt></ruby> <ruby>抓<rt>zhuā</rt></ruby> <ruby>起<rt>qǐ</rt></ruby> <ruby>面<rt>miàn</rt></ruby> <ruby>包<rt>bāo</rt></ruby> <ruby>和<rt>hé</rt></ruby> <ruby>香<rt>xiāng</rt></ruby> <ruby>肠<rt>cháng</rt></ruby>

<ruby>大<rt>dà</rt></ruby> <ruby>吃<rt>chī</rt></ruby> <ruby>起<rt>qǐ</rt></ruby> <ruby>来<rt>lái</rt></ruby> ， <ruby>一<rt>yī</rt></ruby> <ruby>口<rt>kǒu</rt></ruby> <ruby>气<rt>qì</rt></ruby> <ruby>把<rt>bǎ</rt></ruby> <ruby>树<rt>shù</rt></ruby>

<ruby>洞<rt>dòng</rt></ruby> <ruby>里<rt>li</rt></ruby> <ruby>的<rt>de</rt></ruby> <ruby>面<rt>miàn</rt></ruby> <ruby>包<rt>bāo</rt></ruby> <ruby>和<rt>hé</rt></ruby> <ruby>香<rt>xiāng</rt></ruby> <ruby>肠<rt>cháng</rt></ruby> <ruby>全<rt>quán</rt></ruby>

<ruby>吃<rt>chī</rt></ruby> <ruby>完<rt>wán</rt></ruby> <ruby>了<rt>le</rt></ruby> 。 <ruby>当<rt>dāng</rt></ruby> <ruby>它<rt>tā</rt></ruby> <ruby>舔<rt>tiǎn</rt></ruby> <ruby>舔<rt>tiǎn</rt></ruby> <ruby>嘴<rt>zuǐ</rt></ruby> <ruby>巴<rt>ba</rt></ruby> ，

<ruby>摸<rt>mō</rt></ruby> <ruby>摸<rt>mō</rt></ruby> <ruby>圆<rt>yuán</rt></ruby> <ruby>滚<rt>gǔn</rt></ruby> <ruby>滚<rt>gǔn</rt></ruby> <ruby>的<rt>de</rt></ruby> <ruby>肚<rt>dù</rt></ruby> <ruby>子<rt>zi</rt></ruby> <ruby>时<rt>shí</rt></ruby> ，

<ruby>突<rt>tū</rt></ruby> <ruby>然<rt>rán</rt></ruby> <ruby>想<rt>xiǎng</rt></ruby> <ruby>到<rt>dào</rt></ruby> <ruby>一<rt>yī</rt></ruby> <ruby>个<rt>gè</rt></ruby> <ruby>问<rt>wèn</rt></ruby> <ruby>题<rt>tí</rt></ruby> ： <ruby>是<rt>shì</rt></ruby>

<ruby>谁<rt>shéi</rt></ruby> <ruby>把<rt>bǎ</rt></ruby> <ruby>这<rt>zhè</rt></ruby> <ruby>么<rt>me</rt></ruby> <ruby>多<rt>duō</rt></ruby> <ruby>好<rt>hǎo</rt></ruby> <ruby>吃<rt>chī</rt></ruby> <ruby>的<rt>de</rt></ruby> <ruby>食<rt>shí</rt></ruby> <ruby>物<rt>wù</rt></ruby>

<ruby>放<rt>fàng</rt></ruby> <ruby>在<rt>zài</rt></ruby> <ruby>树<rt>shù</rt></ruby> <ruby>洞<rt>dòng</rt></ruby> <ruby>里<rt>li</rt></ruby> <ruby>的<rt>de</rt></ruby> <ruby>呢<rt>ne</rt></ruby> ？ <ruby>会<rt>huì</rt></ruby> <ruby>是<rt>shì</rt></ruby>

猎人吗？狐狸马上起身想离开这个充满危险的树洞。

　　狐狸万万没想到的是，刚才自己瘪着肚子才勉强挤进树洞，现在因为吃得太饱，肚子胀得鼓鼓的，根本没办法从树洞里出去。狐狸使足全身的力气往外挤呀挤，可是不管它怎么使劲，就是没办法从树洞里出去。看来它只得待在树洞里慢慢地等，等到肚子饿得和原来一样了，才能出去。

　　这时，猎人来取他的食物了。让他没想到的是，可口的食物没了，却得到一只狐狸。这真是一个意想不到的收获啊。

寓言一点通

　　这个寓言告诉我们：一个过分贪心的人，往往只是一味满足自己的欲望，而忘记由此可能带来的后果，以致付出惨重乃至生命的代价。就像故事中的狐狸，因为贪吃而成了猎人的囊中之物。

tān xīn de yī shēng
贪心的医生

yǒu gè hěn fù yǒu de lǎo pó po dé le yī zhǒng yǎn bìng kàn shén me
有个很富有的老婆婆，得了一种眼病，看什么

dōng xi dōu shì mó mó hú hú de
东西都是模模糊糊的。

tā qǐng yī shēng wèi tā zhì yǎn bìng bìng
她请医生为她治眼病，并

duì yī shēng shuō rú guǒ nǐ zhì hǎo
对医生说："如果你治好

wǒ de yǎn bìng wǒ fù gěi nǐ yī bǎi gè
我的眼病，我付给你一百个

jīn bì rú guǒ nǐ zhì bù hǎo wǒ shì
金币；如果你治不好，我是

yī fēn qián yě bù huì fù gěi nǐ de
一分钱也不会付给你的。"

yǒu zhè me hǎo de jià qián yī
有这么好的价钱，医

shēng hěn gāo xìng jiù xīn rán dā ying lǎo
生很高兴，就欣然答应老

pó po yú shì tā měi tiān dōu lái lǎo pó
婆婆。于是他每天都来老婆

po jiā tì tā zhì yǎn bìng zài zhì liáo
婆家，替她治眼病。在治疗

de guò chéng zhōng lǎo pó po bì zhe yǎn
的过程中，老婆婆闭着眼

jing shén me yě kàn bù jiàn
睛，什么也看不见。

yī shēng chèn jī dòng qǐ le huài
医生趁机动起了坏

zhǔ yi ná zǒu le lǎo pó po jiā li de
主意，拿走了老婆婆家里的

一件宝贝。见老婆婆没什么反应，医生就以为她真的什么也不知道，胆子更大了，于是今天搬一点儿，明天拿一点儿，把老婆婆家里的东西都快搬空了。

治疗结束时，老婆婆睁开眼睛，对医生说的第一句话就是："我终于能看清你了。"

"是吗？那你应该付给我一百个金币的治疗费。"医生说。"不，我一分钱也不会付给你。"老婆婆毫不客气地对他说。"什么？你想赖账！"医生很生气，拉着老婆婆去见法官。

法官听医生讲述了事情的大致经过后，又问老婆婆有什么要说的。老婆婆不慌不忙地说道："他根本就没治好我的眼病。要知道，我以前还能模模糊糊地看清自己家里摆着的家具和物品，可是

xiàn zài wǒ zhàn zài zì jǐ jiā li shén me dōng xi yě kàn bù jiàn le zhè
现在，我站在自己家里，什么东西也看不见了，这
shì wèi shén me ya
是为什么呀？"

zhè zhè yī shēng shén me huà yě shuō bù chū lái
"这，这……"医生什么话也说不出来。

fǎ guān zhōng yú nòng míng bai le shì qing de jīng guò jié guǒ yī shēng
法官终于弄明白了事情的经过，结果医生
bù dàn méi yǒu dé dào yī bǎi gè jīn bì de zhì liáo fèi hái shòu dào le yīng yǒu
不但没有得到一百个金币的治疗费，还受到了应有
de chéng fá
的惩罚。

寓言一点通

这个寓言告诉我们：暗地里做坏事的人，总以
为自己不露痕迹，做得天衣无缝，但是要想人不
知，除非己莫为，做了坏事的人最终会受到应有的
惩罚。

zuǐ li xián zhe ròu de gǒu
嘴里衔着肉的狗

一只狗不知从哪儿弄到一块肉，它衔着肉高兴地往家跑，想独自美美地享用。路过小河边时，狗往小河里张望了一下，突然看到河水里也有一只狗，而且嘴里也衔着一块肉。狗想：如果能想办法把它嘴里的肉也抢过来，我就有两块肉了，可以美美地吃上两餐了。

狗忍不住又往小河里张望，想看看自己能不能成为它的对手。这时，它看到另一只狗正恶狠狠地盯着自己，于是也把自己的眼睛瞪得大大

de xiǎng xià hu shuǐ li de gǒu méi xiǎng dào
的，想吓唬水里的狗。没想到，

shuǐ li de gǒu yě bǎ yǎn jing dèng de dà dà
水里的狗也把眼睛瞪得大大

de yī diǎnr méi yǒu hài pà de yàng zi
的，一点儿没有害怕的样子。

gǒu fā nù le wāng wāng wāng de
狗发怒了，"汪汪汪"地

hǒu jiào qǐ lái suí zhe jiào shēng gǒu zuǐ li
吼叫起来。随着叫声，狗嘴里

de ròu diào jìn xiǎo hé li bèi hé shuǐ chōng zǒu
的肉掉进小河里，被河水冲走

le kě shì gǒu yī diǎnr yě méi fā jué kàn
了。可是狗一点儿也没发觉，看

dào de zhǐ shì shuǐ li de gǒu zhèng duì zhe zì
到的只是水里的狗正对着自

jǐ zhāng dà zuǐ ba xiàng zì jǐ fā huǒ ne
己张大嘴巴，向自己发火呢。

gǒu qì fēng le tiào jìn hé shuǐ li xiǎng yào
狗气疯了，跳进河水里，想要

dǎ bài duì fāng
打败对方。

zhí dào hún shēn shī tòu gǒu cái fā xiàn hé shuǐ li gēn běn méi yǒu shén me
直到浑身湿透，狗才发现河水里根本没有什么

gǒu gèng méi yǒu shén me ròu tā tū rán xiǎng qǐ zì jǐ zuǐ li de ròu kě
狗，更没有什么肉。它突然想起自己嘴里的肉，可

shì nà kuài ròu zǎo yǐ bèi hé shuǐ chōng zǒu le
是那块肉早已被河水冲走了。

寓言一点通

这个寓言告诉我们：贪心的人总是吃着碗里的，想着锅里的，永不满足于自己拥有的东西。就像故事中那条贪心的狗，自己嘴里有肉还想着去抢别人嘴里的肉，到头来却是一场空。

狮子、兔子和鹿

狮子在草丛里发现一只睡得正香的兔子，心想：真是太好了，我可以毫不费力地捉到这只兔子。于是轻手轻脚地向兔子走去。

就在这时，狮子突然看到一个影子在不远处晃动了一下。它抬头一看，只见一只鹿正悠闲地在树丛里走着。

狮子高兴极了：如果能捉到这只鹿，我就可以足足吃上三天了。比起小小的兔子来，鹿对狮子的吸引力当然更大一些。于是狮子就放弃那只睡着的兔子，去追赶鹿了。

shī zi měng de cóng shù hòu cuān chū lái
狮子猛地从树后蹿出来，
xiàng lù pū qù lù yī tīng dào wēi xiǎn de
向鹿扑去。鹿一听到危险的
shēng yīn lì jí sā kāi sì tiáo tuǐ fēi kuài
声音，立即撒开四条腿，飞快
de xiàng qián pǎo shī zi zài hòu miàn jǐn zhuī bù
地向前跑。狮子在后面紧追不
fàng lù shǐ chū quán shēn de lì qi pīn mìng de
放。鹿使出全身的力气拼命地
pǎo zuì zhōng shī zi méi néng zhuī gǎn shàng lù
跑，最终狮子没能追赶上鹿。

jīn pí lì jìn de shī zi zhǐ hǎo wǎng huí
筋疲力尽的狮子只好往回
zǒu tū rán tā xiǎng qǐ zài cǎo cóng li shuì
走。突然，它想起在草丛里睡
jiào de tù zi lì kè gāo xìng qǐ lái xīn xiǎng suī rán wǒ méi néng zhuī gǎn
觉的兔子，立刻高兴起来，心想：虽然我没能追赶
shàng lù dàn hái shi kě yǐ qīng sōng de dé dào yī zhī tù zi de yú shì yòu
上鹿，但还是可以轻松地得到一只兔子的。于是又
àn yuán lù huí dào gāng cái yù dào tù zi de dì fang
按原路回到刚才遇到兔子的地方。

kě shì nǎ lǐ hái yǒu tù zi de yǐng zi a jiù zài shī zi yòng lì zhuī
可是哪里还有兔子的影子啊！就在狮子用力追
gǎn lù de shí hou tù zi bèi jīng xǐng le zǎo jiù liū zǒu le
赶鹿的时候，兔子被惊醒了，早就溜走了。
shī zi máng lù le hǎo yī zhèn zi jié guǒ shén me yě méi dé dào
狮子忙碌了好一阵子，结果什么也没得到。

寓言一点通

　　这个寓言告诉我们：一个人不根据实际情况
正确对待取舍问题，妄想得到更多，结果只会适得
其反，什么也得不到。

huì chī rén de jīn bì
会吃人的金币

哲学家对甲、乙两人神秘地说："知道吗，草丛里藏着一样会吃人的东西，你们猜会是什么？"

甲、乙两人不停地猜着：老虎、狮子、蛇、鳄鱼……可是哲学家都说不是。那到底会是什么呢？

哲学家笑着说："你们还是自己去看看吧。"说着就走了。

甲、乙两人特别好奇，就到草丛里仔细找，竟然在那里发现了一堆金币。他俩觉得很奇怪：难道哲学家说的吃人的东西是金币吗？金币可是大家都需要的东西，它怎么会吃人呢？

tā liǎ xiǎng le bàn tiān   shéi yě xiǎng bù chū yuán yīn
他俩想了半天，谁也想不出原因。

tiān kuài hēi le   liǎng rén shāng liang zhe zěn me lái chǔ lǐ zhè xiē jīn
天快黑了，两人商量着怎么来处理这些金

bì   zuì hòu jué dìng jiǎ shǒu zhe jīn bì   yǐ huí qù qǔ fàn   děng tiān hēi le
币，最后决定甲守着金币，乙回去取饭，等天黑了

zài bǎ zhè xiē jīn bì bān huí jiā
再把这些金币搬回家。

yǐ huí qù qǔ fàn de shí hou   jiǎ shǒu zhe zhè duī jīn bì   xīn xiǎng
乙回去取饭的时候，甲守着这堆金币，心想：

rú guǒ méi yǒu yǐ   wǒ jiù kě yǐ yī gè rén dú tūn zhè xiē jīn bì le   nà
如果没有乙，我就可以一个人独吞这些金币了，那

gāi duō hǎo wa   cǐ shí   yǐ zài huí qù de lù shang   yě zài xiǎng zhe tóng yàng
该多好哇。此时，乙在回去的路上，也在想着同样

de wèn tí
的问题。

dāng yǐ ná zhe fàn huí lái shí   jiǎ chèn tā bù zhù yì   yòng zhǔn bèi hǎo
当乙拿着饭回来时，甲趁他不注意，用准备好

de dāo zi bǎ yǐ shā le   jiǎ hěn gāo xìng   xīn xiǎng   zhè huí kě yǐ yī gè
的刀子把乙杀了。甲很高兴，心想：这回可以一个

rén dú zhàn zhè xiē jīn bì le
人独占这些金币了。

甲开始吃乙为他拿来的饭，心想吃饱了才有力气把这些金币搬回去。可是没吃几口，他忽然感到腹部阵阵疼痛，就像刀割一样。原来，乙也想害死甲独占这些金币，因此在饭里下了毒。甲吃了有毒的饭，当然也活不了。他在临死时，忽然想起哲学家对他俩说过的话，无奈地长叹一声："唉！他说得真对呀，可我们为什么就不能真正理解这句话呢？可惜现在已经来不及了。"

寓言一点通

这个寓言告诉我们：一个贪得无厌的人，会让欲望蒙住自己的眼睛，失去自己的良知而做出罪恶的事情来，最终也没有好下场。故事中，甲、乙两个人的行为正说明了这一点。

yào qián bù yào mìng
要钱不要命

　　yǒu yī tiān　　jǐ gè rén cóng yǒng zhōu zuò chuán héng dù xiāng jiāng　chuán
　　有一天，几个人从永州坐船横渡湘江。船

dào jiāng zhōng xīn shí　hū rán bèi jī liú dǎ fān le　chuán li de rén fēn fēn
到江中心时，忽然被激流打翻了，船里的人纷纷

luò rù shuǐ zhōng　qíng kuàng shí fēn wēi jí
落入水中，情况十分危急。

　　xìng hǎo　　yǒng zhōu zhè ge dì fang duō jiāng hé　rén rén dōu huì yóu yǒng
　　幸好，永州这个地方多江河，人人都会游泳。

zhè xiē luò shuǐ zhě dōu gǎn jǐn diū diào shēn shang de xíng li　jié jìn quán lì kuài
这些落水者都赶紧丢掉身上的行李，竭尽全力快

sù de xiàng àn biān yóu qù　kě
速地向岸边游去。可

shì　　yǒu yī gè píng shí yóu yǒng
是，有一个平时游泳

hěn hǎo de rén què là zài zuì hòu
很好的人却落在最后

miàn　xiàng shì yóu bù dòng le
面，像是游不动了。

huǒ bàn men zháo jí de jiào dào
伙伴们着急地叫道：

"huǒ ji　nǐ zěn me le　hái
"伙计，你怎么了？还

bù kuài diǎnr　　yóu wa
不快点儿游哇。"

nà rén yǒu qì wú lì de
那人有气无力地

huí dá　　wǒ de yāo li chán
回答："我的腰里缠

着一千枚铜钱，游不动啊。"

人们好心地劝他："都什么时候了，还要那东西干什么，快把它扔了吧。"

那个爱钱如命的人却说："我怎么也不能丢了这些钱哪！"

大家又提醒他："你再不扔掉那些钱，可就没命了呀！"

面对大家的好心劝说和提醒，那个人还是舍不得扔下一千枚铜钱，结果连同一千枚铜钱一起沉到了江底。

寓言一点通

　　这个寓言告诉我们：比起生活中的任何东西，生命才是最重要的，失去了就不能复得；而且没有了生命，钱再多也没用。故事中，那个爱钱如命的人却不明白这一点。

rén xīn dì yī gāo
人心第一高

山脚下有个女人叫王婆，她开了一家酒店，专门卖自家酿造的米酒。有一天，一位道士到她酒店借宿，还喝了酒店里的酒。可是道士口袋里一时没有带钱，就对王婆说："我没带钱，但我可以给你挖口水井，里面的水会给你带来好运，也算是我对你的谢意。"王婆同意了。

一会儿，道士就把水井挖好了。奇怪的是，从那井里打上来的不是一般的水，而是又香又醇的美酒。王婆对道士千恩万谢，道士笑着走远了。

从此以后，王婆

再也不用像从前那样花大力气酿酒，而是轻轻松松地从井里打酒来卖。由于生意非常好，王婆因此赚了很多钱，生活过得很不错。这样过了两年，道士又一次来到王婆的酒店，并关切地问："水井用着还好吗？"

王婆笑着说："水井能出酒是好，可惜没有酒糟，我就没法养猪了。"

道士听了摇摇头说："这真是'天高不算高，人心第一高'，井水当酒卖，还说猪无糟。"说完，向着那口井挥了挥衣袖走了。从此，那井里冒出来的不再是香醇的美酒，而是普通的井水。

寓言一点通

　　这个寓言告诉我们：得到别人的恩惠，除了感激，更应该知足。一个贪得无厌的人，永远不会满足于自己已经拥有的，而希望得到更多，最终却失去更多，就像故事中的王婆。

tān xīn bù zú
贪心不足

一个人腰里揣着一只布袋进城去。他的布袋里放着十五枚铜钱，准备去城里买东西。

走到半路上，那人忽然发现挂在腰上的布袋丢了，就赶忙按原路找去，并希望有人拾到布袋能还给他。

果然有个过路人拾到了那个装钱的布袋，正在路边等着失主前来认领呢。

丢钱的人喜出望外，跑上前去对过路人说：

"啊，你手里的布袋正是

我丢的，请你还给我吧。"

拾到布袋的过路人也没多问，就把布袋还给了他，并准备继续赶路。

丢钱的人接过布袋，打开来仔细数了数，发现里面的铜钱一枚也不少，正好十五枚。这时，他的脑子里忽然闪出一个贪念：为什么不趁这个机会，敲诈一笔呢？

于是，他装模作样地把布袋里的铜钱又数了一遍，并惊讶地大叫起来："哎呀，不对啊，我的布袋里明明有三十枚铜钱，现在只剩十五枚了，那缺少的十五枚一定是你把它藏起来了，快把它还给我！"

过路人很生气，说："我帮你捡回了布袋，又还给了你，你不但不感激我，还要敲诈我，真是岂

yǒu cǐ lǐ liǎng rén yīn cǐ
有此理！"两人因此

chǎo le qǐ lái
吵了起来。

zhèng hǎo yǒu gè xiàn lìng
正好有个县令

cóng nà lǐ jīng guò tīng le
从那里经过，听了

shuāng fāng de yī fān chén shù
双方的一番陈述

hòu xiàn lìng zǎo yǐ xīn zhōng
后，县令早已心中

yǒu shù jiù duì diū shī bù dài
有数，就对丢失布袋

de rén shuō nǐ diū de bù
的人说："你丢的布

dài li yīng gāi yǒu sān shí méi
袋里应该有三十枚

tóng qián ér zhè ge bù dài li
铜钱，而这个布袋里

zhǐ yǒu shí wǔ méi tóng qián suǒ yǐ tā kěn dìng bù shì nǐ de nǐ bǎ zhè ge
只有十五枚铜钱，所以它肯定不是你的。你把这个

bù dài huán gěi jiǎn dào de rén ér nǐ diū de bù dài yě xǔ hái zài lù shang
布袋还给捡到的人，而你丢的布袋也许还在路上，

nǐ jì xù qù lù shang zhǎo yī zhǎo ba
你继续去路上找一找吧。"

寓言一点通

　　这个寓言告诉我们：贪心者竟然以怨报德，为了诈取更多的钱，想出了这样的坏主意。但最终的结果却是一无所获，连原本属于自己的东西也没了。

一堆金子

一个非常喜欢钱的人，整天低着头走路，希望捡到一枚铜钱或者其他什么。一天，他忽然看见路边草丛里有一堆黄灿灿的东西。哈，好像是金子啊！他高兴得不得了，看看四周没人，连忙弯下腰，准备捡起那堆金子。

就在他弯腰靠近那堆金子时，忽然发现那堆金子很像一条盘着的蛇，连忙把伸出去的手缩了回来，心想：如果真是一条蛇，那可不是好玩的，弄不好

会让自己丧命的呀。可是，这到底是一条蛇，还是一堆金子呢？他蹲在一边看了好久，也没弄清楚。

然而，他更希望那是一堆金子，心想：如果是金子，我就发大财啦，可以用它买好多东西呢。

于是他想了很多理由，让自己相信这是金子不是蛇。他对自己说："如果是蛇，它怎么会这么长时间一动不动呢？如果是蛇，它见到人怎么也不害怕，也不溜走呢？如果是蛇，它怎么会有金子般的颜色呢？如果是蛇，它为什么不躲进洞穴里，而盘缩在路边呢？"

想了这么多的理由，最后他坚信：这一定是一堆用金子铸成的蛇形装饰品，那就没有什么好怕的。

于是放心地弯腰去捡那堆被他看作金子的东西。

结果与他所想的不同，那堆东西原来是一条装死的金皮毒蛇。就在他伸手去捡的时候，毒蛇猛地咬了他一口，把他咬死了。

临死前，那人后悔地想：唉！它本来看起来就是一条蛇，我为什么偏不相信，而愿意相信它是金子呢？

寓言一点通

　　这个寓言告诉我们：面对诱惑，明知有可能存在危险，却仍然千方百计地寻找各种借口，让自己心安理得地去接近它，其实是自欺欺人的愚蠢行为，结果当然可悲。

夜莺和鹞子
yè yīng hé yào zi

一只夜莺站在树上欢乐地唱着歌，一点儿也没注意到危险的情况。就在这时，灾难降临了——一只鹞子"嗖"地飞过来，用爪子把夜莺紧紧抓住了。

鹞子得意地说："哈哈，我肚子正饿着呢，正好可以用你当点心。"

夜莺在鹞子的爪下一动也不能动，要想挣脱可不是件容易的事情。夜莺努力使自己冷静下来，并小心地四处张望，寻找解救自己的

机会。忽然，夜莺看到不远处的树梢上停着一只大乌鸦，正悠闲地梳理着自己黑黑的羽毛。它想了想就对鹞子说："你没看到那边树梢上停着一只大乌鸦吗？"

鹞子顺着夜莺所指的方向望去，果然有一只乌鸦停在树梢上。夜莺接着说："乌鸦可比我大多了，如果你能抓住它，够你饱餐一顿了，而我只够塞你的牙缝啊。"

鹞子一听觉得有道理，就有点儿心动了，但仍然没有放下爪下的夜莺。于是夜莺又说："你看，那只乌鸦真的一点儿都没注意到你，你现在抓它是件很容易的事情。等它发现了你，你就别想抓到它了。"鹞子一听，一心想去抓那只乌鸦，就松开爪子，向乌鸦扑去。

kě shì wū yā bìng bù bèn　tā yī tīng dào yǒu wēi xiǎn de shēng yīn　jiù
可是乌鸦并不笨，它一听到有危险的声音，就

zhāng kāi chì bǎng xiàng yuǎn chù fēi qù　jié guǒ méi děng yào zi fēi jìn　zǎo jiù
张开翅膀向远处飞去，结果没等鹞子飞近，早就

fēi de wú yǐng wú zōng le　yào zi zhǐ hǎo chuí tóu sàng qì de huí dào yuán lái
飞得无影无踪了。鹞子只好垂头丧气地回到原来

de shù shang　zhè shí tā cái fā xiàn　yuán xiān yǐ jīng dào shǒu de yè yīng yě
的树上，这时它才发现，原先已经到手的夜莺也

bù jiàn le　nà zhī cōng míng de yè yīng chèn zhe yào zi qù zhuā wū yā de shí
不见了。那只聪明的夜莺趁着鹞子去抓乌鸦的时

hou táo zǒu le　tān xīn de yào zi zuì zhōng shén me yě méi dé dào
候逃走了。贪心的鹞子最终什么也没得到。

寓言一点通

　　这个寓言告诉我们：贪心不足的人往往想把任何东西都占为己有，而事情往往并不像他所想的那样。就像故事中的鹞子，想得到的越多，结果却失去的更多。

pōu é qǔ jīn dàn
剖鹅取金蛋

从前,有个农夫和妻子养了一只鹅。这只鹅小时候并没有什么特别,长大后却变成了宝,因为它每天都会给主人生一个黄灿灿、沉甸甸的大金蛋。有了这些金蛋,农夫的生活就不像原来那么艰苦了。可是他们并没有感到满足,反而希望得到更多的金蛋。

有一天,妻子对农夫说:"要是有办法让它每天多生几个金蛋那才好呢。"农夫想了想说:"我们多给它喂些草吧,也许它每天会多生一个金蛋。"

yú shì qī zi měi tiān gěi zhè zhī é wèi bǐ píng cháng duō liǎng bèi de
于是妻子每天给这只鹅喂比平常多两倍的

cǎo kě shì é hái shi yī tiān zhǐ shēng yī gè jīn dàn qī zi biàn shēng qì
草，可是鹅还是一天只生一个金蛋。妻子便生气

de zé guài nóng fū chū de sōu zhǔ yi
地责怪农夫出的馊主意。

yī tiān qī zi tū
一天，妻子突

fā qí xiǎng duì nóng fū
发奇想，对农夫

shuō zán men bù rú bǎ
说："咱们不如把

é de dù zi pōu kāi kàn
鹅的肚子剖开，看

kàn lǐ miàn hái yǒu duō shao
看里面还有多少

jīn dàn rú guǒ néng bǎ
金蛋。如果能把

tā men yī cì xìng qǔ chū lái bù shì yòu kuài yòu shěng shì ma
它们一次性取出来，不是又快又省事吗？"

nóng fū yě jué de zhè ge zhǔ yi bù cuò yú shì liǎng rén mǎ shàng mó
农夫也觉得这个主意不错，于是两人马上磨

hǎo dāo bǎ é de dù zi pōu kāi kě shì fū qī liǎ zhè huí quán shǎ le yǎn
好刀，把鹅的肚子剖开。可是夫妻俩这回全傻了眼：

é de dù zi li nǎ yǒu shén me jīn dàn na zhǐ yǒu yī xiē hái méi xiāo huà de
鹅的肚子里哪有什么金蛋哪，只有一些还没消化的

gān cǎo
干草。

寓言一点通

每天能得到一个金蛋，真是想都想不到的美
事，可还是有贪心的人觉得这样发财过慢，竟自以
为是地打起更快、更好的发财主意，到头来只能是
一场空。

lǎo shǔ tōu nǎi
老鼠偷奶

liǎng zhī lǎo shǔ dào chù zhǎo chī de zhōng yú zài guō li fā xiàn yī xiē
两只老鼠到处找吃的，终于在锅里发现一些
niú nǎi   dàn shì guō hěn shēn   tā men wú fǎ hē dào xiāng pēn pēn de niú nǎi
牛奶。但是锅很深，它们无法喝到香喷喷的牛奶。
yú shì liǎng zhī lǎo shǔ wéi zhe guō tái tuán tuán zhuàn   yī qǐ xiǎng bàn fǎ
于是两只老鼠围着锅台团团转，一起想办法。

hū rán   dì yī zhī lǎo shǔ yǒu le zhǔ yi duì dì èr zhī lǎo shǔ shuō
忽然，第一只老鼠有了主意，对第二只老鼠说：
yào xiǎng hē dào guō li de niú nǎi ya   zhǐ yǒu wǒ men liǎng gè hé zuò cái
"要想喝到锅里的牛奶呀，只有我们两个合作才
xíng   nǐ yuàn yì gēn wǒ hé zuò ma
行。你愿意跟我合作吗？"

dì èr zhī lǎo shǔ shuō   zhǐ
第二只老鼠说："只
yào néng hē dào niú nǎi   wǒ zěn me huì
要能喝到牛奶，我怎么会
bù yuàn yì gēn nǐ hé zuò ne   nǐ dào
不愿意跟你合作呢？你到
dǐ yǒu shén me hǎo bàn fǎ
底有什么好办法，
kuài shuō lái tīng tīng
快说来听听。"

dì yī zhī lǎo shǔ
第一只老鼠
shuō   zhè yàng ba   nǐ
说："这样吧，你
zhàn zài guō biān   yòng lì
站在锅边，用力

抓住我的尾巴，我从锅边向里滑，就能喝到牛奶了。等我喝够了牛奶，再抓住你的尾巴，让你也下去喝个够。"

"这真是一个不错的主意，那我们就这样试试看吧。"第二只老鼠同意了第一只老鼠的主意，于是它们真的这样干了起来。

第一只老鼠先下去喝牛奶，果然顺利地喝到了牛奶，可是它一直喝呀喝，喝个没完。

第二只老鼠一边拉着尾巴一边叫："你喝好了吗？快一点儿行吗？"可是第一只老鼠理也不理它，只是一个劲儿地管自己喝。

第二只老鼠忍无可忍，终于发火了，就用手去拍打同伴，想叫它停下

lái jié guǒ tā yī fàng
来。结果它一放

shǒu nà zhī hē nǎi de
手，那只喝奶的

lǎo shǔ yī xià zi diào jìn
老鼠一下子掉进

guō li yān sǐ le
锅里淹死了。

zhè shí guō biān
这时，锅边

shang de lǎo shǔ xìng zāi lè
上的老鼠幸灾乐

huò de xiǎng zhè xià kě
祸地想：这下可

hǎo zhè me duō nǎi quán
好，这么多奶全

guī wǒ le yí hàn de
归我了。遗憾的

shì kàn zhe nà me duō de niú nǎi tā què yī diǎnr yě hē bù dào yú shì
是，看着那么多的牛奶，它却一点儿也喝不到。于是

tā wéi zhe guō zhuàn lái zhuàn qù yòu yòng shé tou tiǎn yòu yòng zhuǎ zi zhuā
它围着锅转来转去，又用舌头舔，又用爪子抓，

jié guǒ shén me yě méi yǒu hē dào bèi huó huó è sǐ le
结果什么也没有喝到，被活活饿死了。

寓言一点通

　　这个寓言告诉我们：那些过于贪婪和自私的人，心里只想着自己，所表现出来的行为不仅会伤害别人，也会伤害到自己。

图书在版编目（CIP）数据

好孩子最想知道的寓言故事/余绯等编写．—杭州：
浙江少年儿童出版社，2015.11
（好孩子故事馆：精华版）
ISBN 978-7-5342-8875-3

Ⅰ.①好…　Ⅱ.①余…　Ⅲ.①汉语拼音－少儿读物
Ⅳ.①H125.4

中国版本图书馆 CIP 数据核字（2015）第 164721 号

责任编辑　　饶虹飞
特约编辑　　朱建政
封面设计　　小飞侠工作室
电脑制作　　枫桦图文
责任校对　　沈鹏
责任印制　　林百乐

好孩子故事馆（精华版）
好孩子最想知道的寓言故事
编写/余绯等
绘画/太阳娃工作室　　铁牛工作室
　　　李广宇　唐筠　刘玉海　张德瀛
浙江少年儿童出版社出版发行
杭州天目山路 40 号
浙江杭新印务有限公司印刷
全国各地新华书店经销
开本 710×1000　1/16
印张 18　字数 98000
印数 1—10000
2015 年 11 月第 1 版
2015 年 11 月第 1 次印刷
ISBN 978-7-5342-8875-3
定价：30.00 元
（如有印装质量问题，影响阅读，请与承印厂联系调换）